MIN ALLTFÖR
VACKRA SYSTER

ROSA VENTRELLA

MIN ALLTFÖR VACKRA SYSTER

ÖVERSÄTTNING AV
MALIN EMITSLÖF

pirat
FÖRLAGET

Läs mer om Piratförlagets böcker och författare på
www.piratforlaget.se

ISBN 978-91-642-0727-2

Utgiven av Piratförlaget, Stockholm 2021
First published in Italy by Mondadori Libri S.p.A., Milano
Published by arrangement with Walkabout Literary Agency
Utgiven med bidrag från Stiftelsen C. M. Lerici
Originalets titel: La malalegna
Översättning: Malin Emitslöf
Omslag: Eric Thunfors
Omslagsfoto: Ferdinando Scianna / Magnum Photos / TT
Tryckt hos Nørhaven, Viborg 2021

MIX
Papper från
ansvarsfulla källor
FSC
www.fsc.org
FSC® C104608

Till mina barn

Jag såg på henne med mina jordiska ögon
   den där enda gången.
Och hennes tystnad var likadan som den
   som råder i en stängd trädgård.
Hon sa ingenting.
Jag gick till den plats dit alla går ...

CÉSAR ANTONIO MOLINA
La fuga dell'amore

Vad vet jag om oss?

Av min syster minns jag brudklänningen i tyll, hur lycklig hon var när hon fick känna sig som drottning över sitt rike av saker och av blickar, rösten som hördes utifrån gränden och som ropade min mammas namn, en gäll och aningen skorrande väsning.

Det händer att jag drömmer om henne på natten, att jag hör henne. Jag följer ekot av ett avlägset ljud som för mig ända ner till mina barndomstrakter. En snårig hed som omgav oss så långt ögat nådde, en vidd av raggiga kullar, som ryggarna på en ofantlig buffelhjord. Sedan försvinner plötsligt min systers röst och jag störtar ner i nattens tomhet. Jag greppar fotot som står på nattduksbordet och som föreställer oss tillsammans, Angelina, mamma, pappa och jag, och ler åt hans buttra blick och åt mammas skönhet.

Jag minns de kyliga kvällarna när mistralen blåste, och Angelina och jag tog av oss skorna och de tjocka strumporna framför brasan för att gnugga våra kalla fötter. I de ögonblicken kan jag drabbas av en plötslig och grundlös lycka som inte liknar någonting annat och som någonstans har förblivit intakt.

Jag minns de vita gränderna nere i Copertino. Inte ens ljuset tog sig in bland de där dystra, vindlande gatorna. Och jag minns husen, som låg så tätt att kvinnorna om morgnarna utbytte hälsningsfraser med varandra från sina fönster, kände doften av sås från grannhuset när det närmade sig lunchtid och hängde lakan på tork mellan husväggarna. Och så, längre bort, yviga fält, skogar av järnek, jordhögar bevuxna med björnbärssnår. Sägnerna om vargarna och häxorna som bebodde de där ödsliga platserna ven genom kvarteren, flög över den vita stenen som sfinxerna på medeltiden. Under vinterdagarna följde de med vinddraget in genom dörrspringorna och tog sig in i husen, svepte runt barnens anklar som onda andars skratt. Farmor Assunta tog mig och Angelina i famnen medan mamma stod och rörde runt grönsakerna i grytan, och så började berättelsen. Som ett lugnande medel, en drog, en söt, tjockflytande, varm vätska som tog sig in under huden.

Angelina avbröt ständigt farmors monotona röst. Näsvisa frågor, trotsig uppsyn, det ljudliga smackandet med tungan mot gommen när hon blev irriterad över något. Jag noterade allt, registrerade varje liten sak.

Än idag, när jag tänker på henne, på Angelina, känner jag en klump i halsen som hindrar mig från att svälja. Det är nostalgin över en kär smärta. Då blandar sig de tidiga, fina minnena med de sorgsna av åren som sedan följde. Mamma som tillbringade timmar inne i vårt flickrum, sysselsatt med att damma av dockan som vi hade tillverkat av en hoprullad snusnäsduk – med knappar som ögon och en mun sydd med tråd – med att piffa till gardinerna, byta lakan i sängen, fluffa upp den orörda kudden, vika ihop nattlinnet, smeka några hårstrån som fortfarande satt kvar mellan borstens piggar, med att se sig själv vissna genom reflexerna i föremålen, i fönsterrutorna och i speglarna.

De sista orden jag sa till min syster uttalade jag på avstånd, tyst för mig själv. Den sista blicken jag gav henne, däremot, föll på hennes livlösa kropp, på de vita armarna, på huden som såg uppsvälld och skämd ut. Jag såg på henne och granskade spåren efter alla de handlingar som hon aldrig mer skulle utföra, skråmorna på anklarna, de välvårdade naglarna, de långa och smala tårna. Jag hade alltid tyckt att hennes fötter var fula. Alltför magra, de oproportionerligt långa tårna och stortårna som däremot var breda och platta. Kanske försökte jag bara leta efter defekter som var uppenbara nog för att utradera känslan av perfektion. Jag räknade sekunderna som jag ägnade åt att stirra på hennes livlösa fötter. Tjugotvå. Lika många som åren hon hade levt. Med ögon tunga av tårar betraktade jag hennes kropp. Den ena foten var rät, med de stela tårna fixerade i overksamheten, den andra foten låg lätt vriden åt sidan, som i en misslyckad pose.

Nu vet jag att det är därför jag fortfarande är kvar här. För att berätta historien om oss alla. Lugnt och fint – som farmor brukade säga – och ända från början.

"Och var börjar du då?" frågar pappa mig.

Kanske kan han se ledsamheten som kommer långt bortifrån. Den överraskar mig ofta, särskilt i sömnen. Jag hör dess knappt förnimbara flämtning i natten, som ljudet av avlägsna steg, en paddas kväkande. Vad vet jag om henne? frågar jag mig. Vad vet jag om oss?

"Jag börjar med förtalet", svarar jag.

Det är där jag måste börja. I den stund då det nästlade sig in i våra liv.

VÄNTAN

1

Vårt hus var litet och trångt och avdelat på mitten med ett draperi för att skilja sömnen från vakenheten, madrasserna från husgeråden. I den delen som låg närmast ytterdörren fanns ett bord och fyra stolar. Det ena fönstret vette mot gatan, det andra mot gården som hade förskönats med ett smultronträd. Stenläggningen var täckt av hönsskit.

Jag var väldigt mager som barn, en liten fågel av skinn och ben, och mamma och farmor kämpade oförtröttligt med att försöka få i mig en bit mat, men jag tryckte in den i kinden utan att lyckas svälja ner den. Farmor Assunta for ut mot mamma: "Vad väntade du dig egentligen? Hon har väl fått svinbandmask, eller också har hon drabbats av onda ögat. Något måste hon ha, för normal är hon sannerligen inte." Förutom att jag hade dålig aptit var jag tystlåten.

Det fanns få saker som jag älskade. Ordning var en av dem. När jag gick i lågstadiet brukade jag stryka med händerna över min prydliga skoluniform och röra vid den stärkta rosetten; jag slätade till mitt lena hår som var uppsamlat i två tofsar, så hårt åtdragna att det kändes som om hårstråna skulle lossna från skalpen. Om jag kände att de släppte efter stramade jag genast åt snodden så hårt att ögonen sträcktes ut åt sidorna på ett onaturligt sätt. En annan sak som jag älskade var att betrakta min mamma, hennes sätt att gå. Hon rörde sig lika elegant som en ballerina, satte ner tåspetsarna först och höll nacken helt rak. Min syster och jag härmade ofta hennes högdragna hållning. När hon promenerade på det där sättet ute på gatorna drog hon till sig männens suktande blickar och förstulna ögonkast från kvinnorna. Även i grannfruarnas ögon kunde man skönja avund när de såg på henne, om än dold bakom hövlighet.

Förtalet fanns överallt och det förföljde mamma, som tvingades försöka fly det för varje steg hon tog. Det vandrade i gränderna och i spiraltrappan som ledde till piazzan; det törnade emot damejeannerna som stod uppställda utanför olivoljefabriken och tog sig in i ögonen på åsnorna som stod bundna vid fruktkärrorna; det smittade mannen som sålde sardiner, brödhandlaren, fruktförsäljaren, grannfruarna som satt utanför sina hus, sierskan med de mörka ögonen, mannen som drog runt på en kärra och samlade upp järnskrot eller överbliven tegelsten medan han gastade i gränderna: hans gutturala röst tycktes komma långt bortifrån, som ekot från en cupa cupa-trumma.

Mamma rörde sig i sakta mak för att skaka av sig blickarna från Trollpackan, en ful gammal gumma utan tänder och med en stor puckel på ryggen som tvingade henne att ständigt glo ner i marken. Hon vände sitt förvrängda ansikte mot mamma och sneglade på henne ur ögonvrån medan hon tömde nattkärlet på stenrampen där kärrorna rullade fram; hon var insvept i en brun sjal som dolde pottan, och när Angelina, mamma och jag gick förbi henne spottade hon på marken. Mamma var tvungen att fly undan blickarna från självaste baron Personè, mannen som ägde all jord i Copertino. Han var skygg som ett fullblod, svårmodig och argsint, men när han fick syn på henne log han som ett barn och slog ner blicken, precis som bondlurkarna gjorde när de mötte honom. Farmor Assunta brukade säga att vår mors skönhet var familjens förbannelse.

En förbannelse som skulle falla på min systers lott.

Giulietta, barnmorskan som hade förlöst varenda unge i Copertino och som med hjälp av persiljeextrakt och strumpstickor hade sänt många andra till dödsriket, hade vid Angelinas födsel konstaterat: "Den här flickan har sin mammas moriska ögon." Sedan hade hon vänt blicken mot mig och hennes tunna läppar hade krusat sig i ett svagt leende: "Men du, lillan, ska inte vara skamsen. Kom närmare och se på din syster." Jag tog några försiktiga steg mot Giulietta. Hon var en tjock och klumpig kvinna med ögon som skuggades av kraftiga bryn, och hon skrämde mig. Även hennes man skrämde mig. Folk på orten kallade honom Baggen; somliga sa att han kopulerade med getterna, och häxan Pasquina, sierskan – som hade ögon lika mörka som vissa orientaliska kvinnor – svor till och med på att hon hade sett honom para sig med djävulen. "Han hade kvinnoskepnad", gick hon runt och sa till folk. "Det var bara det att hans hud var röd och pyrde som glödande kol. Ja, precis så var den, som glödande kol. Och han hade horn och svans som en buffel."

2

På vintern, när den rasande vinden fick dörrarna och fönstren att skallra och underliga knarrande ljud att höras från varje vrå, satt vi samlade i en ring runt fyrfatet: Angelina, vår mamma och pappa, farfar Armando och farmor Assunta. Min kropp var tunn och stelfrusen. Då och då satte jag ner fötterna mot golvet och de iskalla stenplattorna fick mig att huttra till. Pappa satt tyst, precis som farfar Armando. Ibland fnös han, och det var som om en tyngande oro förfulade hans vackra anletsdrag. På himlen lyste en rund och klar måne. Träden bågnade till den grad att de nästan snuddade vid marken och smultronträdet ute på gården jämrade sig under vindens hårda pisksnärtar. Pappas ögon blänkte i lågornas fladdrande sken. De var lika gröna som fälten i Copertino om våren. Farfar Armando sneglade på honom, sedan fnös även han. Hans små och pigga ögon såg ingående på var och en av oss. Han stoppade in några torkade kikärter i munnen och harklade sig: "Har jag någonsin berättat för er om den gången när banditerna kom till Torre del Cardo?" frågade han och gnuggade sina händer framför brasan. Och så fick hans berättelser liv.

Det sades på orten att ett gäng banditer många sekel tidigare hade gömt en skatt inne i Torre del Cardo. I farfars berättelser såg de tjugofyra banditerna som hade stulit friherrinnan Maria d'Enghens skatt ut som demoner. Jag föreställde mig hur de strövade omkring på de snåriga hedarna i trakten av Murge, sov bland buskagen och uppe i träden, mättade sig med de fjäderlösa fågelungarna som de hittade i bona och med rötter som de ryckte upp ur jorden. Jag såg framför mig hur de förstulet lade ner sitt byte i den stora terrakotta-vasen som var gömd inne i tornet och sedan uttalade sin fasansfulla besvärjelse.

"Den som så mycket som närmar sig skatten i Torre del Cardo kommer att få halsen avskuren."

Banditernas själar rörde sig som svarta skuggor runt elden, med långa hårmanar, toviga skägg och huvuden som pryddes av horn. Bland dem fanns också djävulen i kvinnoskepnad, med en hud som var röd och pyrde som glödande kol. Jag blundade och kände hur mina armar och ben blev som förstenade. Farfar Armando hade berättandets gåva, pappa hade tystnadens. Farmor Assunta hade bondkvinnans visdom. Min mamma och min syster hade skönhe-ten. Och jag då? Min egen gåva hade jag ännu inte upptäckt. Större delen av min barndom var jag bara en betraktare.

En vintrig söndag tog farfar med mig och Angelina för att visa oss Torre del Cardo. Jag var ungefär åtta år gammal.

"Jag vill också bli friherrinna", sa min syster bistert.

Hon satte händerna i midjan och vände ansiktet mot himlen, som om hon ville lukta på luften. Landskapet runtomkring oss var en hed där buskar och träd växte tätt. Jag omfamnade det med blicken så långt jag kunde. Det framstod för mig som ett litet avskilt och behagligt universum, som en snäcka, en magisk plats där inget hade förändrats på många sekel. Fyra väggar, ett miniatyrhus, en li-ten spetsbågeformad dörr och små fönster på sidorna. Det här var friherrinnans gamla boning.

"Friherrinnan måste ha varit en vacker kvinna, med långt svart hår precis som mamma", sa Angelina och synade nyfiket låsen på tornets port. Kanske trodde hon att hon skulle kunna öppna den med blotta blicken, men det var saker som inte ens häxan klarade.

Jag föreställde mig – i motsats till min syster – friherrinnan som en gammal och bister kvinna med falnade anletsdrag märkta av ensamhet och en gulaktig, skrumpen hals som stack upp ur den plisserade bluskragen.

"Men är det ingen som någonsin har försökt lägga beslag på banditernas gömda skatt?" frågade Angelina.

"Åh", stönade farfar, nästan som om det sög musten ur honom att prata. En svag suck, besvärad men varm, slapp ut mellan hans sammanpressade tänder. "Det är för kallt för att stå här en längre stund", försökte han slingra sig.

"Kom igen, farfar, berätta nu", sa Angelina otåligt, och eftersom han inte klarade att stå emot henne böjde han sig ner och slätade till en liten gräsplätt, satte sig till rätta och bad oss slå oss ner bredvid honom.

"En dag berättade en vis gammal man för en djärv bonde att man för att hitta skatten i Torre del Cardo var tvungen att bege sig högst upp i tornet, på långfredagen, med ett helgat lamm och ett barn inlindat i ett tygstycke, och att ett ljussken skulle leda en till rummet där skatten låg gömd. Bonden inväntade otåligt den fastställda dagen, men begav sig sedan till tornet utan vare sig barn eller lamm, eftersom han var övertygad om att han skulle bli tvungen att offra den lille parveln, och eftersom han med tanke på att det var natten mellan skärtorsdagen och långfredagen och kyrkan hölls öppen inte skulle lyckas få tag på en präst som kunde välsigna djuret. Han började gå uppför trappan, men hann inte mer än några få trappsteg förrän han kände hur en främmande kraft grep tag hårt om hans axlar, och han flydde skräckslagen därifrån. Det var banditernas själar som vaktade skatten och hindrade de allra våghalsigaste från att lägga beslag på den."

"Inte ens häxan har någonsin berättat så bra historier", sa Angelina upprymd.

"Jaså, det säger du", log farfar. "Då tycker jag att vi leker en lek: nu får ni berätta varsin historia för mig."

Angelina stelnade till ett ögonblick, med den stora munnen på glänt och det rufsiga håret som föll ner över pannan.

"Du får börja, Angelina", sporrade jag henne. "Du är den mer fantasifulla av oss."

Hon harklade sig och ställde sig upp. Redan på den tiden hade jag svårt att tänka på henne som en liten flicka. Hon visste alltid vad hon skulle säga, i vilken situation som helst, och hade ett självsäkert sätt som i mina ögon ofta framstod som kaxigt. Bara sömnen gav henne åter hennes rätta ålder.

När vi gick och lade oss, båda två i samma säng men med huvudet åt olika håll, vilade jag kinden mot min hand och betraktade henne. Hennes drömmar var livliga, ögonlocken ryckte och munnen grimaserade, vaga tecken som sa mig att hon var på väg att säga något, men sedan suckade hon bara och stoppade tillbaka orden i drömmen. I de ögonblicken undrade jag hur föreställningar och idéer kunde komma ur henne så lätt, alltför rättframma, utan filter. Även jag hade många tankar, men jag behöll dem länge för mig själv och grubblade över dem. I mitt huvud bands orden ihop i knippen och följde varandra i en lång ström, och alstrade idéer som ofta kändes alltför invecklade. Det fanns ett slags tvekan i mitt sätt att uttrycka mig, en stamning som slutade med att alla blev irriterade. I efterhand har jag förstått att mitt problem var att sätta in orden i enklare meningar, alldagligare och mindre konstlade, som de som kom ur Angelinas mun.

"Den här historien berättade häxan för mig en gång", började hon, och ritade vida cirklar med händerna i luften.

"Det var en gång en flicka som skulle gifta sig …"

Farfar stödde armbågarna mot benen och lade hakan i de kupade handflatorna. Nu var hans trötthet som bortblåst, ögonen på nytt fulla av liv.

"Kvällen före bröllopet tog hon på sig sin brudklänning och promenerade ner till dammen för att spegla sig i vattenytan. Hon tyckte att hon var fantastiskt vacker, och för att bättre beundra sig själv gick hon så nära vattnet hon kunde. Hon gillade sitt eget ansikte mycket och försökte snudda vid dess spegelbild. Och det var då hon såg …", sa Angelina och drog efter andan, "den döda paddans tjocka kropp!"

"Så?" avbröt jag henne.

"Jag slår vad om att den stackars flickan inte levde länge till efter det", dristade sig farfar att kommentera.

"Hur kan du veta det?" frågade Angelina.

"Att röra vid vattnet där en padda har dött för otur med sig. Så var försiktiga, flickor."

Angelina gick tillbaka och satte sig, uppenbart besviken över att farfar redan visste slutet på hennes berättelse.

"Nu är det din tur, Teresa."

För ett ögonblick satt jag kvar som förstenad, hopkrupen och med blicken i marken. Sedan reste jag mig tvekande. Att prata inför dem gjorde mig förlägen, och jag kände ett nervöst pirr i kroppen som fick det att rycka i min vänstra kind. Under hela mitt liv skulle det för mig vara tecknet som tydde på obehag, sättet på vilket min kropp uttryckte sin egen otillräcklighet.

"Se till att inte stamma nu", retades Angelina.

"Sch!" tystade farfar henne. "Hon måste hitta orden i sitt eget huvud innan hon kan få ut dem."

Men jag klarade det inte. Jag kunde inte komma på någon berättelse.

3

När farfar dog, 1941, var jag tio år gammal. Det var varmt. En outhärdlig hetta suddade ut himlens blå färg och absorberade tjuten från barnen som sprang i gränderna och lekte soldater med torra kvistar som de hade hittat ute på fälten. Syrsornas sång, svadan från kvinnorna som satt tryckta intill de kalkputsade husväggarna för att stjäla åt sig lite skugga. Flugornas oupphörliga surrande. Vartenda ljud genomborrade mig som om jag hade blivit en docka av silkespapper. Än idag, när jag tänker tillbaka på den där dagen, känner jag ett infekterat sår bulta, syra som bränner i min hals.

Vi promenerade på den solbelysta gatan tillsammans med vår mamma. Angelina räckte henne handen och började plötsligt gråta.

Då dök en pojke upp framför oss och siktade på oss med sitt kvistgevär.

"Bom bom!" sa han. "Ni är döda!"

Angelina klamrade sig fast i mammas kjol. Hennes gråt hade blivit otröstlig. Jag stannade upp och såg på låtsassoldaten som var klädd i kortbyxor. Han hade ett fint ansikte, fylliga läppar, nötbruna ögon. Ena ögonbrynet klövs av ett ärr och håret var tjockt och yvigt.

"Släpp förbi oss, pojk", muttrade mamma. "Vi har förlorat farfar idag och är väldigt ledsna."

Jag rös till, för tanken på förlusten fick med ens fast form och blev till en hal och klibbig substans som fick mina inälvor att tvinna

23

ihop sig. Om mamma gav röst åt den kunde jag känna den, ta på den.

"Ni kan inte säga åt mig vad jag ska göra", sa pojken kyligt, och hans arm blev spändare. Den torra kvisten var ett vapen som kunde slå, skada, få blodet att rinna.

Angelina torkade tårarna och gick fram till honom. "Vad vill du oss, egentligen?" frågade hon med stöddig uppsyn.

"Jag är en soldat och jag försvarar den här gatan."

Angelina hade på sig en kort, blommig klänning och ett par träskor som hade varit mina och som fortfarande var för stora för hennes fötter.

"Nu släpper du förbi oss", beordrade hon honom och satte händerna i sidorna.

"Och vem säger att jag måste göra det?" Pojken med de nötbruna ögonen tog sig plötsligt en myndig ton.

"Jag säger det."

"Jaså? Och vem är du, då?"

"Jag är Mussolinis barnbarn", sa Angelina stöddigt och vände ansiktet mot himlen.

Mamma grep tag i hennes arm och lade ena handen över hennes mun. Pojken såg ingående på oss. Jag kunde läsa rädsla i hans ögon. Han flydde snubblande sin väg, tappade trägeväret och var nära att snava på den vita stenläggningen.

"Men vad i all sin dar går du runt och säger till folk?" frågade mamma bestört, men Angelina bara log mot henne. Hon hade vunnit.

Vi fortsatte mot farfars hus. Ju närmare vi kom, desto intensivare blev värken i mitt huvud. Surret från hundra bin fick min andning att snabba på och mina steg att sakta ner. I närheten av piazzan fick jag syn på en grupp småpojkar som spelade kula. "Ledare, ledare, ge oss ljuset", rabblade de som en ramsa. Mamma tog ett hårt tag om våra händer. Till och med barnen tycktes skrämma henne i det ögonblicket.

När vi kom fram var pappa redan där, och en ring av grannfruar omgav kistan som en krans av korpar. Farmor Assunta satt hopsjunken på stolen, med armar som hängde och dinglade utmed sidorna och huvudet vaggande åt höger och vänster. Hon mumlade fram ord, en lång och obegriplig klagovisa. Farfar var klädd i sin finaste söndagskostym. Hans händer låg knäppta på bröstet som i bön, och en scarf var knuten runt hans huvud för att hålla käkarna stängda.

När Angelina och jag var små berättade farfar Armando ofta för oss om kriget som han hade varit med och utkämpat, men han utelämnade alltid de värsta sakerna. Han berättade om den vedervärdiga maten, om det besmittade vattnet som soldaterna svalde, om dysenterin som smög sig på dem och tvingade dem att otaliga gånger visa upp sin ändalykt som en makaber segertrofé åt flugor och fästingar. Angelina och jag skrattade medan vi såg framför oss en lång rad av runda månar som lyste i natten.

Nu upplevde även vi kriget, och jag hade inte kunnat säga vad det egentligen betydde för mig. Till en början var det en nästan harmlös närvaro. Det nådde våra öron till och från. Men sedan det hade nästlat sig in i våra liv hade jag tagit för vana att räkna dagarna. Och så småningom började jag räkna allt. Jag räknade trappstegen som ledde ner till källaren, antalet steg mellan piazzan och Via Fratelli Bandiera, där det bodde en tokig gammal gumma som idisslade oupphörligen och kastade salladshuvuden på de förbipasserande; jag räknade stjärnorna, och myrorna som i ordnade led gick och samlade upp matrester på vår innergård.

I den där uppmätta ordningen kände jag mig väl till mods. Jag räknade till och med minuterna under vilka farmor Assunta tvingade mig att se på farfars tärda kropp. Hans hud hade gulnat och lukten blivit stickande, som något som hade härsknat, ruttnat, redan börjat förmultna. Jag tyckte att hans avmagrade ansikte hade blivit mer likt pappas. Under de där dagarna av sorg hade han mist skönheten som brukade göra hans hy slät och ögonen glittrande. Den buttra och nedslagna blicken var så lik farfar Armandos. Som om de båda, under åldrandet, hade bevarat bara det väsentliga.

Under de sista månaderna i livet förlorade farfar vissa bitar av sin historia. Han glömde saker, förväxlade ofta våra namn vilket fick honom att skaka på huvudet och slå ner blicken, som ett litet barn som ertappas med att göra orätt. Ibland såg jag honom försjunken i tankar, upptagen med att sopa ihop smulor från bordsduken, med att fläta samman fingrarna för att få ett fast grepp om vad än han råkade ha i händerna. Det var som om han försökte hålla kvar uppmärksamheten på något, förhindra att detaljerna, viktiga som obetydliga, gled undan. Även han behövde, precis som jag, ge kontur åt saker och ting, känna till deras exakta ordningsföljd. Sina sista veckor på jorden tillbringade han i sovrummet som stank av cigarr, desinfektionsmedel och piss.

Men det här var en tid då döden fanns överallt.

Vuxenvärlden var så genomsyrad av den att ännu en döende gamling i själva verket inte vållade någon särskild bedrövelse bland folk. Alla hade släktingar eller vänner som varje dag kämpade mot döden vid fronten. Alla visste att man vissa gånger vann och andra gånger förlorade. Det var bara vi barn som kände oss immuna. Pojkarna som lekte med sina kvistgevär och flickorna som stod vid sidan om och såg på. "Barn går inte ut i krig. Barn dör inte", brukade farmor säga till oss. Barndomen skyddade oss likt en effektiv amulett.

Kort efter farfars död begav sig även pappa ut i krig. Och jag började räkna dagarna utan honom. Mamma blev tystlåten och farmor Assunta ängslig, men ingen pratade om det faktum att männen befann sig vid fronten. Döden besvärjdes med tystnaden. Nenenna och de andra grannfruarna i kvarteret slog sig ner utanför sina hus och stickade och sydde varma kläder att skicka till soldaterna. Då och då gick mamma och hämtade sitt bröllopsfoto och skickade runt det bland kvinnorna.

"Se bara så stilig han är", sa hon, "min Nardino."

Varje morgon, så snart jag vaknade, satte jag igång att räkna, och sedan gick jag och hämtade fotot och fantiserade om deras bröllopsdag. Jag fogade samman pusselbitarna, lade ihop mammas berättelser och, om jag blundade, kändes det som om jag var där tillsammans med dem.

Jag skapade mig den här låtsassjälen som skyddade mig mot det som hände runtomkring. Medan mamma och farmor satt utanför ytterdörren och sydde och lappade kläder, kröp jag ihop i sängen och kramade dockan som var tillverkad av en hoprullad snusnäsduk. Angelina och jag hade döpt den till Ninetta eftersom den liknade Nenennas systerdotter som hade dött vid två års ålder, och lika liten som hon varit när hon föddes förblev hon ända till den dagen hon lämnade den här världen.

"Titta, Ninetta", sa jag till dockan och visade henne fotot av mamma och pappa som brudpar. "Det här är Nardo och Caterina." Och Ninetta nickade så att håret, som var tillverkat av gula ylletrådar, svängde fram och tillbaka.

Och då försvann sorgsenheten. Jag raderade den genom att klippa med ögonlocken och krama trasdockan. Mammas och pappas leende ansikten fick liv och dansade runt mig som små andar.

Lyckan kom långt bortifrån. Jag kände dess sprittning på min hud.

4

En morgon anlände det krigande fosterlandets sändebud för att beslagta alla föremål som kunde vara till nytta för nationen, dyrbara saker men också sådana som var värdelösa och kanske kunde smältas ner och bli till projektiler. De slog sönder och gjorde hål i koppargrytor, kärl och tallrikar så att det stod klart för alla att de där föremålen inte kunde tjäna något annat syfte än att hjälpa soldaterna vid fronten.

Barnmorskans man hade sprungit från dörr till dörr och meddelat alla att fascisternas agenter höll på att finkamma husen. Mamma hade samlat ihop ett gäng gamla kantstötta kärl och ett stort kar som hon använde för att tvätta sängkläderna med asklut, och i vilket även Angelina och jag sedan fick kliva ner så att mamma kunde skrubba oss rena.

"Var ska jag nu bada er?" hade hon nöjt sig med att säga.

Angelina hade gått och hämtat trasdockan som låg under sängen och gömt den i skafferiet. Hon var rädd att fascisternas sändebud skulle göra hål också i den med sina vassa spikar.

Även farmor var uppbragt. Hon vankade av och an mellan bordet och diskhon medan hon strök med handen från munnen till pannan och så tillbaka igen. Ända sedan farfar hade dött grät hon oupphörligen, över honom, över pappa som var ute i krig och över Gud vet vilka andra olyckor. Hennes ögon var rödsprängda och läpparna darrade. Sedan fick hon plötsligt kraft igen; hon hejdade sig mitt i köket, och med den högra foten framför den vänstra stampade hon takten till sin indignation och svor över den här världen och över den där andra. "Må han komma och hämta mig", hörde vi henne säga. "Må liemannen komma och hämta mig." Och så hytte hon med näven i luften som för att utmana honom.

När agenterna kom in stod vi alla uppställda framför köksbordet med sträckta ryggar, som en grupp dömda inför en exekutionspluton. Bland de där typerna kände jag igen mannen som ansvarade för skyddsrummet i den moderna byggnaden som reste sig i slutet av vår gata. Det var dit vi alla tog vår tillflykt om flyglarmet gick; han ställde sig framför porten och släppte in oss, en i taget. Han var en vänlig man. När Angelina och jag gick förbi honom hälsade han på oss med en klapp på huvudet. Han hade ett öga som skelade och ett ben som av någon anledning inte hade vuxit lika mycket som det andra. Det var därför han inte hade begett sig ut i krig. Även i den stunden blev jag lugnad av att se honom och tänkte att inget ont kunde hända oss så länge han var där.

Det första slaget med spikklubban mot karet som vi brukade bada i fick oss att hoppa till. Angelina borrade in ansiktet mellan mammas ben och började snyfta. Jag knöt nävarna och kände hur mitt ansikte spändes på samma sätt som när jag var illa till mods; min kind drog ihop sig i en grimas och slätades sedan ut igen, men jag lät inte en endaste tår tränga fram. Min kropp hade lärt sig att vidta sina skyddsåtgärder. Vi hade alla sådana för att försvara oss, även om vi var omedvetna om det.

Om farfar hade varit där hade han svurit över djävulen, precis som han hade gjort många år tidigare – det var i alla fall vad farmor alltid sa till oss – när fascisterna hade dragit igång en kampanj för att samla in vigselringar i utbyte mot värdelösa järnringar. Farfar Armando hade gömt sin och farmors ringar i latringropen. "Våra vigselringar får de minsann gå och leta efter i skiten", hade han sagt.

Så snart agenterna var färdiga med kärlen, karet och koppargrytorna sa de till mamma att de ville söka igenom resten av huset. Skyddsrumsmannen såg missbelåten ut och sökte efter tecken på besvikelse i mammas ansikte. Hon sa inte ett ord, utan nöjde sig med att lägga händerna om min systers kinder. Även farmor Assunta undvek för en gångs skull att fara ut i smädelser, men förmådde inte hålla tillbaka tårarna.

"Upp med hakan, signora Assunta", sa skyddsrumsmannen tröstande. "Vi är i krig. Det här är bara föremål. När allt kommer omkring är de inte ens särskilt värdefulla och de hjälper soldaterna, vår nation, att vinna kriget. Även för er sons skull."

I det ögonblicket blev farmors tårar till ljudliga hulkningar. Hon grät med regelbundna uppehåll, för varje gång som hon inte hade mer tårar grävde hon djupare och sedan vräkte hon ut allt med en sorts gurgling som öppnade ett bottenlöst hål i hennes bröst.

Skyddsrumsmannen drog förläget handen genom håret och gick sedan ut för att röka en cigarett, under tiden som de fascistiska agenterna genomsökte lådor och köksskåp.

Ingen av oss rörde sig ur fläcken förrän vi hörde honom samtala med någon därute. Orden som kom ur hans mun var en enda lång radda av "självfallet, signore", "ni får ursäkta mig", "ska bli".

Några minuter senare dök mannen som pratade med den skyddsrumsansvarige upp på tröskeln. Det första jag såg var spetsen på hans skor. Skinande blanka getskinnsmockasiner. Jag var ingen expert på skor, men jag visste att de där var gjorda av getskinn för varje gång som pappa såg förnäma herrar på Copertinos gator spottade han på marken där de hade gått och sa något åt det här hållet: "Tvi! Om jag kunde skulle jag spotta på deras dyra getskinnsskor!"

Strax därefter kände jag igen baron Personès eleganta gestalt. Han luktade av skokrämen som han just hade smort in sina tjusiga mockasiner med och var klädd i en svart kostym som framhävde hans ljusa, fina hy. Håret glänste av pomada och var bakåtkammat så att den höga pannan framträdde. Han kunde vara jämngammal med min pappa. Jag slogs av hans ögon som var av en vacker ljusbrun nyans, liksom guldstrimmiga. Ovanför ögonbrynen löpte två djupa rynkor som såg ut att vara inristade med kniv. Jag tyckte att han hade samma bistra blick som jag ibland hade sett i pappas ansikte.

Han tog av sig hatten och hängde den på stolsryggen. Agenterna hejdade sig ögonblickligen, stängde igen lådorna som de hade dragit ut och ställde tillbaka grytorna i köksskåpet.

Jag visste allt om honom. Jag hade snappat upp varenda detalj av hans liv ur pappas och våra farföräldrars berättelser och lärt mig dem utantill. Hans namn ven över torgen och gränderna som en vindil. Jag visste att han bodde på andra sidan av en liten järneksskog där Angelina och jag som små brukade leta efter häxor och troll. Det fanns några särskilda byggnader i trakten som de vuxna levandegjorde med en legend. Ett av dem var baron Personès gods; de andra var häxans hus och Torre del Cardo. För att nå dem var man tvungen att korsa kullar med vildoliver och fikonkaktusar, får och fåraherdar, röd jord som hade spruckit i torkan, innan man på nytt förlorade sig bland stenar och oleanderbuskar.

Farmor avskydde baronen precis som farfar hade avskytt honom medan han var i livet, och även pappa avskydde honom. Jag förstod inte vad som var så hemskt med honom. Han skrämde mig inte så som barnmorskans man gjorde, han spådde inte i kaffesump som sierskan. Han gick inte runt och berättade fruktansvärda historier om banditer och häxor som vissa andra män och kvinnor i byn gjorde. Skrumpna gamla gummor och sagodjur som levde i skogarna och som fick liv i barnens drömmar: varulvar, onda vålnader som irrade omkring i de mörka rummen, hundar med lejonhuvud och jättelika råttor som kom och gnagde på ens fötter medan man sov. Baron Personè tycktes komma från en annan dimension, en parallell värld som aldrig skulle kunna korsa de öden som tillföll oss andra. Vår värld beboddes av fulheten, hans av skönheten. Han var alltid välklädd och gav ifrån sig obekanta dofter som kanske kom från fjärran länder. Likväl brukade farmor, när han kom på tal, säga: *Ane, bellu bellu*, ett uttryck med vilket man uppmanade någon att vara aktsam, att se upp för faror. Baronen var faran att vara vaksam på. För mig framstod han i den stunden bara som en stilig man, med graciösa rörelser, en fyllig, nästan feminin mun och välvda, tunna ögonbryn.

"God dag", sa han med ett brett leende.

Jag såg en guldtand glimra till i hans mun. Jag hade aldrig förr sett en sådan. Farmor sneglade på mamma, och Angelina, som under hela det där tumultet hade stått med ansiktet intryckt mellan mammas ben, vände sig till slut om. "Jag känner honom. Det är baronen", sa hon muntert. Men anblicken av Personè gladde ingen annan än henne.

"De här männen är klara här nu", sa han lugnt.

Skyddsrumsmannen dök upp på tröskeln, och de andra vände på klacken och lämnade vårt hus efter att ha hälsat på baronen med en bugning.

"Erbjud baronen något att dricka", sa farmor, och mamma gick genast mot diskhon för att hämta de fina glasen, de med gyllene kant, för att bjuda honom på farmors hemgjorda lagerlikör.

"Det är inte nödvändigt. Jag hade vägarna förbi och tänkte att jag kunde ge er en hjälpande hand", svarade baronen och plockade upp hatten från stolsryggen. "Det kan inte vara lätt för fyra ensamma kvinnor." Han sänkte blicken för att se mig och Angelina i ögonen.

Mamma vände sig om med glaset i handen. Hon var blek och avmagrad, håret otvättat. Sedan pappa hade dragit ut i krig tog hon inte särskilt väl hand om sig längre. Hon förde några hårslingor bakom öronen och granskade sig själv från bröstet ända ner till fötterna. Det var tydligt att hon inte tyckte om figuren hon såg, för hennes ansikte förvreds av misströstan. Även jag stannade upp och betraktade den bleka glipan mellan hennes bröst, den färglösa munnen, fötterna som var nedstoppade i de nötta träskorna. Kanske var det försvaret som mamma hade upprättat för att skydda sig mot kriget: fördunkla skönheten för att passera obemärkt. För att kunna promenera i gränderna som en omärklig gestalt, ett formlöst väsen likt husfeerna som, även om de var fantastiskt vackra, förblev osynliga.

Baronen tog farväl med en lätt nick och gick sin väg, utan att säga något mer, och lämnade efter sig en doft av ljuv parfym som låg kvar länge i rummet. Angelina började göra piruetter genom köket, dansade i det skimrande dammet som virvlade runt mellan väggskåpet och bordet, och följde efter det där parfymspåret som om doften hade ett slags förnimbar konsistens. Hon lyfte upp trasdockan i luften så att även dess lilla slappa tygkropp skulle genomdränkas av baronens exotiska arom.

Hon hade redan glömt bort de fascistiska agenternas besök. Deras släggor och spikklubbor. Hennes blågrå ögon hade på nytt börjat glittra och det fanns inte så mycket som ett spår kvar av tårarna som nyss hade fyllt dem. Angelina drogs till skönheten. Redan på den här tiden jagade hon efter den. Det var skönheten som tog henne ut ur den svartvita dagerrotyp som föreställde vårt liv, det var skönheten som gav henne färg.

Men farmor Assunta såg snart till att få ner oss alla på jorden igen.

"Tvi vale!" utbrast hon och slängde iväg en spottloska. "Det är bäst att vi skurar golvet. Där baronen har satt sina fötter är marken infekterad."

Sedan började hon åter irra omkring i rummet och fara ut i smädelser mot kriget, mot härskarna och till och med mot helgonen.

5

Vi promenerade på gatorna i Copertino och mamma berättade för oss om pappas makalösa bedrifter vid fronten. Hon berättade om fiendernas barbariska seder, om de bördiga landområdena i Afrika som han hade gett sig av för att erövra, om alla nya platser som han skulle få se och sedan beskriva för oss när han kom tillbaka. När hon kände att det återigen började stinga i ögonen lät hon, precis som alltid, tårarna välla fram under några minuter. Sedan, så snart känsloutbrottet var över, försökte hon koncentrera sig på triviala samtalsämnen och spelade oberörd.

"Och kommer han att flyga också? Kommer han att sitta ombord på flygplanen som far förbi ovanför våra huvuden?" frågade Angelina.

Mamma blundade, drog en djup suck och stannade till för att släta till klänningen, även om den inte var ett dugg skrynklig. Hon drog handen genom håret och såg oss sedan rakt i ögonen. Först mig, eftersom jag var äldst, och sedan Angelina. Senare i livet skulle jag förstå att fantasin kom till hennes undsättning när verkligheten var alltför bister för att skildra, när mörkret lade sig som ett svart skynke över husväggarna, över hoppet om framtiden, över varje ny gryning. Alla ortens kvinnor gjorde så. Deras hemligheter och vita lögner överfördes från ett öra till ett annat och förvanskades på vägen. Det var på det sättet som de räddade barnens drömmar.

"Vet du, Angeli', vad vinden gör när man sitter uppe i ett flygplan?" började hon berätta, som om hon verkligen visste något om det. "Vinden slår mot ens ansikte, kompakt som vattendropparna när man står intill en bäck. Jorden ser ut som ett färgglatt lapptäcke, fälten i Copertino som en mängd mönstrade snusnäsdukar. Husen som pyttesmå prickar ..."

Hon pratade och gestikulerade ivrigt. Sedan kom tårarna på nytt och blandade sig med suckarna och orden. En dämpad gråt. De där varma, välbekanta orden skapade ett enkelt och förtroget universum som var beboeligt för oss barn, skapat för just oss.

Och så, som om ingenting hade hänt, började hon räkna upp allt hon såg i saluständen på marknaden: "Här har vi sallad, grönsaker, och så brödbullar." En andning som på nytt var djup och lugn fick hennes bröst att vibrera. Verkligheten kom tillbaka och för henne var den brutal.

Hon räknade mynten i fickan som var sydd på insidan av kjollinningen. "En lire, två lire, tre lire", sa hon lugnt och sansat. Om Angelina avbröt henne blev hon arg. Hon drog händerna genom håret och fnös, rättade till klänningen och räknade om.

Jag var duktig på att räkna – kanske var just det min gåva – så jag rörde vid hennes hand, tvingade henne att knyta näven som hon höll mynten i. Sedan öppnade jag den igen och räknade tillsammans med henne. Mamma såg på mig med drömsk blick. Hon ville fortfarande tro att verklighet och dröm faktiskt kunde blanda sig så som de gjorde i hennes berättelser, avlösa varandra som spelkorten som man har på hand.

"En lire, två lire, tre lire", räknade jag tillsammans med henne.

"En lire, två lire, tre lire ..."

Herregud, så vacker hon var. Hon stirrade tankfullt på mynten, koncentrerad på en beräkning som stal hennes blick. Becksvarta pupiller. Ett och annat silverfärgat strå strimmade hennes hår.

Hon köpte sardiner av en fetlagd och trumpen kvinna med markant näsa. Hennes ögon, himmelsblå och vackra, glänste som två juveler omgivna av karg mark. Fiskförsäljerskan såg bistert på mamma, som inte låtsades om det. Hon var klädd i en gråbrun klänning och en vit blus, och ärmarna som var nedsölade med blod hade antagit en underlig orange nyans. Hon samlade ihop sardinerna och såg på mamma med armarna i kors över bröstet, med en nästan stridslysten uppsyn. Sedan dröjde hon kvar med blicken på mammas urringning som flödade över av en fyllig byst. Hon flyttade över hela den tjocka kroppens vikt från det ena benet till det andra, innan hon plockade upp fisken från vågen och lade den i mammas händer.

Vi promenerade hemåt i rask takt och hälsade hastigt på kvinnorna som vi mötte på vägen. Grannfru Nunzia var i färd med att hänga tvätt och hade famnen full med lakan, bordsdukar, förkläden, snusnäsdukar och underbyxor i alla olika storlekar, och en tjock nyckelknippa hängde och skramlade på hennes höft. Trollpackan, som tillbringade dagarna på en stol alldeles utanför sin port, sommar som vinter, i ur och skur, satt grensle över den flätade sitsen med armarna stödda mot ryggstödet och knaprade på lupinbönor eller torkade kikärter, som om hon satt på första parkett och betraktade skådespelet som utspelade sig framför henne på gatan.

Den kvällen åt vi sardiner till middag. Jag gillade dem inte, de luktade som ruttet gräs, men jag låtsades uppskatta dem bara för att inte göra mamma besviken.

Hon var tystlåten och verkade nedstämd. Angelina pratade oavbrutet medan hon sköt runt maten på tallriken, för inte heller hon tyckte om sardiner.

"Mamma, är allt bra?" frågade jag.

I samma stund kom farmor Assunta in genom ytterdörren.

Hon hade med sig ett brev som pappa hade skickat från fronten och som hon hade tagit emot medan vi var på marknaden.

"Läs, läs", sa hon till mamma, och berättade att det var en ny brevbärare som hade överlämnat det åt henne, en man med likadant bockskägg som Gabriele D'Annunzio.

Men mamma verkade inte höra henne, hon tänkte redan på det faktum att hon inte kunde. Hon kunde inte läsa. Hennes ögon glänste som fiskfjäll.

"Du är äldst, Tere'", sa hon till mig, "du kan läsa det."

Farmor Assunta såg på mig som om hon ville inspektera min själ. "Staka dig inte på orden nu, Tere', läs ordentligt", sa hennes ljusa små ögon till mig.

Jag tog brevet i händerna och gick närmare fönstret. Solen var på väg bort från takåsarna och dess strålar bildade ett korsformat sken bakom klocktornet. Kyrkan var grant rödorangefärgad ytterligare ett ögonblick, i det sista ljuset innan solnedgången.

"Läs ordentligt, Tere'. Lugnt och fint."

De där två orden trängde in i mitt huvud som knivblad. Lugnt och fint. Och jag andades. Lugnt och fint. Och rösten kvävdes i min hals. Jag ville att allt skulle gå fort. Att orden inte skulle fastna mellan mina tänder, som om de inte fann tillräckligt med luft för att komma ut. Jag ville bli osynlig. Det var vad jag ville. Gå hem till häxan och be henne kasta den där förtrollningen över mig.

Mamma blev nervös och kramade brevet som jag höll i händerna. Angelina fnös irriterat och lade armarna i kors över bröstet. "Hon kan inte. Hon är rädd, för hon vet att hon inte är bra på att prata", sa hon.

Rösten nådde mina öron föraktfull. Hon hade lätt för att prata och det hade inte jag. Hon var vacker och det var inte jag. Jag höll upp brevet framför mig, driven av en melankolisk styrka och av en

38

ilska som i det ögonblicket fick mig att hata min syster.

Brevet inleddes så här: "Min kära hustru, jag mår bra. Jag hoppas att du också gör det", och avslutades med: "Pussa flickorna från mig. Jag kommer snart tillbaka. Er hängivne make och far."

Min röst var lite skakig till en början, men sedan blev den stadig och säker, som om en yttre kraft höll den fäst vid varje bokstav.

Farmor Assunta gick sin väg med den broderade näsduken tryckt mot ögonen, medan mamma skyndade sig att städa upp i köket. Hon längtade tills hon fick dra sig tillbaka till sovrummet och tänka på pappas ord medan hon kramade brevet i händerna.

Jag kunde inte somna. Jag såg på Angelina som drog lugna, regelbundna andetag. Utsträckt i samma säng som jag, men med huvudet åt andra hållet, precis som alltid. Hennes späda fötter låg alldeles intill mitt ansikte. På kudden bredde ett burr av svarta lockar ut sig och föll ända ner till golvet.

Jag klev försiktigt upp och tassade bort till mammas sovrum, men vågade inte gå in utan blev stående där och spionerade på henne genom dörrspringan. Hon satt på en stol intill nattduksbordet. Fyra vaxljus vid sänghörnen bildade vaga ljusfläckar och fick långsmala, skräckinjagande jättar att dansa på väggarna. Mamma var naken, orörlig som en vaxdocka. Anblicken av hennes kropp drabbade mig som en örfil. Hon var fortfarande vacker, men tiden, denna bedrägliga trollkarl, hade påbörjat sin orättvisa nedbrytning. Händerna, som hängde slappa längs sidorna, var rynkiga och täckta av blåsor. Och hennes bröst hade förvandlats till en stinn matronas behagliga barm. Jag hörde henne dra några djupa andetag och hålla kvar luften i lungorna för att sedan långsamt släppa ut den. När hon reste sig såg jag låren som fortfarande var välformade, magen som var en aning rund, det mörka könet. Hon vände sig mot spegeln och betraktade sig själv. De vita skinkorna avtecknade sig som två klara månar i rummets dämpade belysning. Hennes fingrar slöt sig som musslor, som för att gripa tag om något. Hon sänkte blicken och såg på sin knutna näve, så som man gör när man har försökt fånga en fluga: man håller den ordentligt mellan sina slutna fingrar och öppnar sedan handen långsamt, för att njuta av illusionen att man har lyckats fånga den. Men mamma såg på sina rynkiga fingrar med besviken uppsyn.

Jag kände mig så skyldig, och samtidigt så oskyldig att jag, om jag hade kunnat, skulle ha gått fram och kramat henne hårt. Vi skulle ha stått kvar så där, mor och dotter, och vaggat varandra, som två älskande under en bombhimmel.

Med en klump i halsen gick jag tillbaka till sängen och såg på Angelina. Vinden ven runt husknutarna. Farmor Assunta brukade säga att vinden under nätter som den här gav ifrån sig djävulens läte, och att man gjorde klokt i att hålla sig inomhus. Jag koncentrerade mig på oväsendet och kände mig trygg inne i det varma huset. Angelina sov lugnt. Hennes näsborrar vidgades och drog ihop sig långsamt. Jag blev varse att jag hyste en underlig känsla för min syster. I vissa stunder var det kärlek och i andra stunder hat. I takt med att jag växte, växte även det där hatet som jag förnam på botten av mitt hjärta som ett tjärliknande underlag. Precis som kärleken existerade det av tusen olika skäl och av inget skäl alls, och när jag sökte efter en förklaring var detta allt jag lyckades säga till mig själv: "Därför att hon var hon, därför att jag var jag."

"Angelina, vakna."

Jag kände en plötslig lust att prata med henne, ett trängande behov av en nära förtrolighet som jag bara kunde känna med min syster.

"Angelina."

"Vad vill du? Det är mitt i natten. Sover du inte?" svarade hon med munnen klibbig av sömn.

"Tänker du någonsin på pappa?" frågade jag, även om det inte fanns någon anledning att väcka henne mitt i natten och fråga henne de här sakerna; eller rättare sagt, en anledning fanns men den dolde jag till och med för mig själv. "Tänker du på pappa som är ute i krig?"

Baron Personè hade varit hemma hos oss. Jag borde hata honom, jag borde finna honom motbjudande. Kanske borde jag ha spottat på de svarta avtrycken som hans getskinnsmockasiner lämnade efter sig på golvet. Men faktum var att jag inte kunde låta bli att känna raka motsatsen för honom. Den kvällen kunde jag inte sluta tänka på pappas gamla avlagda kläder, på byxorna som hängde och svajade runt hans anklar, på de grammatiska felen i hans brev, på hans valkiga händer.

Angelina gnuggade sig i ögonen och spärrade upp munnen i en lång gäspning innan hon svarade.

"Jo, jag tänker på honom", sa hon till slut, men jag nöjde mig inte med det svaret.

"Men minns du hans ansikte väl? Kan du se det framför dig?"

Hon nickade, men hennes bekräftelse motsades omedelbart av huvudet som vreds först åt höger och sedan åt vänster. Hon smackade med tungan mot gommen innan hon sa nej; det var en pojkaktig gest som hon ofta gjorde.

"Jag drömde en dröm häromnatten", fortsatte jag. "Jag såg honom mitt bland en massa andra soldater, klädd i en uniform som var full av hål och täckt av lera."

"Och vad gjorde han i drömmen, då?"

"Han höll på att gräva en stor grop, och i den kastade han ner sina kamraters gevär, det ena efter det andra."

"Och sedan då?"

Nu hade Angelina spärrat upp ögonen. Drömmen, och även

pratet om pappa, hade väckt hennes nyfikenhet.

"Sedan hoppade han själv ner i gropen. Långt bortifrån närmade sig ryssarnas stridsvagnar."

"Hur kunde du veta att stridsvagnarna var ryska?"

"Kommer du ihåg filmen som vi såg på bio?"

Två gånger hade vi gått till kapellet och sett filmerna som regimen lät visa för att hedra våra soldater och deras storslagna bedrifter. Men efter den senaste gången hade mamma vägrat gå tillbaka dit. Krigsscenerna gjorde henne ängslig och fick henne att förutse att det värsta skulle hända vår pappa.

Angelina smackade med tungan mot gommen igen.

"De ryska stridsvagnarna pryddes av en röd stjärna. Och på dem som jag såg i drömmen fanns samma stjärna."

"Och vad tror du att det betyder? Att ryssarna är elaka?"

"Jag vet inte, Angeli'. Men jag kan inte heller minnas pappas ansikte särskilt väl, även om jag i drömmen tyckte mig se det klart och tydligt."

Jag tystnade, för vindens vinande hade tilltagit. Det trängde in genom fönsterspringorna och under dörrarna och fick mig att rysa.

"Tere"', sa Angelina till slut, "är du rädd för att pappa ska dö?"

"Varför frågar du mig om sådana här saker? Du vet ju att barn inte ska prata om döden."

"Men de vuxna dör. Även farfar dog. Du sa ju själv att du såg pappa gräva en grop. Kanske var det den sortens grop som man gräver på kyrkogårdarna för dem som inte finns längre."

"Vi får inte tänka på sådana saker. Det där är tankar som bara de vuxna får tänka."

I det ögonblicket dominerade kärleken över allt det andra. Jag kände mig orättfärdigt elak som hade väckt henne och skrämt upp henne med min oro.

"Hör noga på mig, Angeli". Tänk för ett ögonblick på mammas sekretär."

"Och vad har den med det här att göra?"

Sekretären var en hemlig möbel som stod inne i våra föräldrars sovrum. Det var strängt förbjudet för oss barn att öppna den och se efter vad som fanns inuti. Mamma brukade säga att om vi skulle drista oss till att göra det så skulle hemska saker hända; att öppna den var värre än att slå sönder en spegel, till och med värre än att dricka av eller snudda vid vattnet i en damm där en död paddas uppsvällda och förruttnade kropp låg och flöt.

"En gång öppnade jag den för att se vad som fanns inuti", bekände jag för Angelina.

Hon satte händerna för munnen och spärrade upp ögonen.

"Det fanns inget otäckt i den, Angeli', bara dokument med pappas signatur på och ett skrin med några halsband i."

"Men hände det ingenting otäckt efteråt, då?"

Jag skakade på huvudet.

"Ingenting. Fattar du? Vi tänker att något är otäckt men egentligen är det inte det. Vi tror kanske att kriget är otäckt och att döden finns på platserna där man strider. Men i själva verket är det som med mammas sekretär."

Angelina var nöjd med mitt svar. Hon kröp ihop under lakanet och lät mig bädda ner henne.

Under tiden dök tanken på sekretären åter upp i mitt huvud. Guldsmyckena, de undertecknade dokumenten och fotona av alla släktingar som inte längre fanns. De flesta av dem föreställde ansikten på människor som jag aldrig hade träffat, avporträtterade i sina finaste kläder, uppställda i kullerstensgränderna eller på piazzans vita stenläggning. En radda av ansträngda leenden och ansikten som var förevigade med ett abstrakt, surrealistiskt uttryck.

Men jag hade låtit bli att nämna dem för min syster. Jag försökte tränga bort de där bilderna ur mina tankar, kröp ner under lakanet, sträckte ut mig på sidan och borrade in händerna mellan låren.

"Tere'?"

"Ja?"

"Visst var han stilig, baronen?"

Jag blundade och frammanade bilden av hans slanka figur och den oklanderliga kostymen. Jag tänkte även tillbaka på de blankputsade getskinnmockasinerna.

"Ja, Angeli', han var stilig."

6

Morgonen därpå klädde sig mamma fin i en ljus klänning som smet åt kring hennes byst. Hon strök en droppe olivolja över läpparna och satte upp håret i en elegant frisyr. Jag tror mig veta vad som fick henne att göra som hon gjorde den morgonen. Kärleken. Det var kärleken, denna stomme av hårt trä, som höll hennes handled stadig medan hon omsorgsfullt kammade sina svarta lockar. Medan hon fluffade upp kjolen på klänningen som hon hade använt så många gånger under sitt livs högtidliga tillfällen. Medan hon fäste den vita rosetten i Angelinas hår, medan hon skar sig i ena fingertoppen för att ge lite färg åt sina avmagrade kinder.

Fram till den morgonen hade jag ingen aning om hur det såg ut på baronens gods. Och fastän jag hade mött baronen ute på gatorna och han till och med hade varit hemma hos oss, fastän varenda detalj av hans liv hade skildrats i de vuxnas berättelser, var han alltjämt en främling för mig. Jag visste att han var änkling och att han hade två barn, en son och en dotter. Jag såg deras vita och rosa hus på långt håll, det hade samma färg som karamellpapper. Jag föreställde mig det mjukt och välsmakande som den läckraste godsak. Inget riktigt hus. Låtsasväggar, låtsasmänniskor, alltihop på låtsas.

Det verkliga samhället låg fånget mellan två hästskoformade fält och stank av dynga, av utmattad boskap, av bondlurkar som slet och knogade från morgon till kväll. När jag som liten föreställde mig det vackra så var det till familjen Personès gods som mina tan-

45

kar vandrade. Om jag blundade kunde jag till och med smaka på det där dockhuset; det smakade som spunnet socker.

Vi promenerade i sakta mak på Copertinos gator. Jag höll i mammas högra hand, Angelina höll i den vänstra. Husen låg tätt intill varandra med sina standardtak utan utsprång, med små dörrar och fönster. Kalkbruk gjutet över kalksten. Vi gick genom det gamla centrumet med nedböjda huvuden, som om vi hade en skam att dölja. Vi passerade Santuario Santa Maria della Grottella, kyrkan där Josef av Copertino hade varit med om den religiösa uppenbarelse som senare fick honom helgonförklarad. Mamma släppte taget om våra händer och gjorde korstecknet flera gånger, och Angelina och jag gjorde detsamma. När man kom bortom husen fick man intrycket av att träda in i en frizon som hade respekterats mellan naturen och människorna. Gatan som vi hade följt för att lägga ortens centrum bakom oss var ett tillfälligt avbrott mitt bland olivträden och några vinodlingar. Längre bort, vid horisonten, reste sig stenmuren runt den nya kyrkogården. Under tiden som vi promenerade över fälten som hade gulnat i solen vilade jag blicken på daggdropparna som hängde på grässtråna och blänkte som eldflugor, på olivträdens knotiga stammar, på ljusstrålarna som plöjde sig fram genom det tunna molntäcket och bländade mig. Här och där fanns någon trivial detalj – klungorna av gamlingar som satt i korsningarna och nickade oupphörligen på grund av ofrivilliga huvudskakningar, eller högarna av sopor som vanprydde stengärdsgårdarna intill fälten, eller bönderna som med ryggen i krum och blicken i marken gick och samlade torra grenar – som väckte liv i misstanken jag hyste om att skönheten hade övergivit världen, eller rättare sagt att skönheten kanske hade varit dess ursprungliga utgångspunkt men att tiden, ålderdomen, fattigdomen eller grymheten efter hand hade vanställt den, bit för bit. Därför levde skönheten och fulheten i slutändan alltid sida vid sida, eller den ena inuti den andra, som bottenfällningen i det unga vinet.

Mamma promenerade hela vägen med ett ansträngt leende på läpparna. Vad hon egentligen hade för avsikt att göra höll hon för sig själv. Då och då släppte hon taget om våra händer och gnuggade sig i ögonen, som om hon ville torka bort tårarna som inte kom ut.

När Personès gods uppenbarade sig vid horisonten drog hon ett djupt andetag och ställde sig med ryggen mot en kalkstensmur. Det var en varm morgon. Hettan svepte in allt, som ett bårtäcke. Landskapet runtomkring oss låg tyst. Angelina och jag rörde oss inte ur fläcken, vågade knappt andas. Vi var rädda båda två. I skuggan av en alm hörde vi en padda kväka; dess rytmiska läte var som ett melodiskt hickande, dovt och dämpat, en luftbubbla som sprack i en silverklar drill.

"Vi ska alldeles strax gå vidare. Låt mig bara hämta andan", kände sig mamma tvungen att säga, nästan som om paddans kväkande hade återkallat henne till plikterna.

När hon väl hade återhämtat sig räckte vi henne våra händer – vi kände oss som främlingar på den där platsen och behövde hennes beskydd – och sedan gick vi uppför allén som ledde till godset. Angelina och jag svepte med blicken åt alla håll för att beundra träden som hade planterats vid sidan om stenläggningen. Trädens blommor lockade till sig getingar och bin; vi såg dem flyga fram och tillbaka, surra omkring, ta sig in i blomkalkarna för att sedan på nytt försvinna bort. Ju närmare vi kom husets stora port, desto mer hårdnade mammas grepp om våra händer och jag kunde höra hur hennes andetag blev snabbare. Jag kunde räkna dem. Ett för varje steg hon tog. Rytmiska och regelbundna, utan improvisation.

En spenslig och rynkig kvinna öppnade porten. Hon skelade på ena ögat och en blond hårtest stack ut ur den åtsittande hättan.

Hon granskade oss alla tre ingående. Först mamma, sedan mig och sist Angelina.

"Vad vill ni?" frågade hon strängt.

Kanske hade hon sett spåren efter dagarna av armod i våra ansikten, kvällsmålen som bestod av stuvad kål. Mina och Angelinas lappade kläder, mammas klänning som hade lika många år på nacken som jag. Eller kanske nådde hennes blick längre än så, och bara genom att stirra oss i ögonen hade hon kunnat skönja de inrökta och stinkande rummen i vårt hus, de nötta gardinerna, uttrycket i farmor Assuntas ansikte när hennes mage knorrade eftersom vi inte längre hade något att äta och hon och mamma åt rädisblast till middag. Den flagnande färgen på väggarna som var täckta av spindelväv, vedträet som inte räckte till, kylan som trängde ända in i skelettet, våra stelfrusna fötter. Den där gamla ragatan, lika bister som ortens sierska, hade sett allt, ur såväl vår nutid som ur vårt förflutna.

"Jag söker baronen", sa mamma och försökte maskera rädslan.

"Och vem är ni?"

"Ni kan meddela honom att jag är Nardo Sozzus hustru."

Hushållerskan sa åt oss att stiga in och tassade sedan med lätta steg uppför en bred trappa, ovanför vilken man kunde skymta en staty av Josef av Copertino som satt och tronade på en hög stol. Salongen var full med prydnadssaker av varje tänkbar sort och ursprung, tavlor som föreställde jaktscener, elegant ciselerade bläckhorn, fyra par kuddar för varje fåtölj. Jag förundrades över dunklet inne i rummen, över mängden av fönster och det faktum att fönsterluckorna var halvstängda. Om vi hade haft alla de där fönstren i vårt hus skulle jag ha låtit dem vara vidöppna så att rummet översvämmades av ljus.

En stund senare kom baronen nerför trappan med säkra steg.

Nu såg jag att han antagligen var äldre än min pappa, fastän han fortfarande var en fantastiskt stilig man, lång och finlemmad och med välsvarvade muskler som kunde skönjas under kläderna. Angelina hade verkligen rätt. Baron Personè var stilig.

Mamma reste sig med ett ryck och harklade sig. Jag kände henne som en stark kvinna, men i det ögonblicket fick hon mig att tänka på Ninetta, min trasdocka. Hon skulle ha låtit sig knycklas ihop, vridas om, slängas runt som en vante.

På den här tiden kunde jag ännu inte föreställa mig att han, hans boning av spunnet socker, hans infekterade avkomma, skulle kasta omkull vår tillvaro. Den där soliga julidagen visste jag bara att mamma för första gången rodnade när hon fick syn på honom. Likväl var hon van vid hans lystna blickar, vid hans högtravande och hycklade bugningar. Hon var van vid att läsa begäret i hans ögon, åtrån, kraften – men där, innanför väggarna på hans fort, var hon fullständigt sårbar.

Jag såg med beundran på hans släta händer som inte bar minsta spår av möda och slit. Det var en förnäm herres händer. Jag skulle aldrig glömma dem.

Baronen kom fram till oss och bugade sig. Mamma rodnade ännu mer och pressade fram en belåten grimas, men den framstod som falsk.

"Vad förskaffar mig den äran?" frågade han, som om det gjorde honom stolt att ha en bondkvinna innanför sitt hems väggar.

"Baronen, jag behöver tala med er", sa mamma och lät blicken glida över på oss.

"Cesira!" ropade han och knäppte med fingrarna. Hushållerskan med det skelande ögat kom skyndande. "Ta med dig flickorna ut och visa dem trädgården."

Mamma såg på mig. Hennes blick var skamsen och läpparna

välformade, fylliga, krökta i en resignerad grimas och ett forcerat leende.

"Var inte blyg nu, Tere'. Titta på din syster, hon är redan glatt på väg ut för att se trädgården."

Varför var det alltid jag som kände mig förlägen? Skammen tillhörde mig. Således följde vi efter den där förhatliga kvinnan ut bland grenarna i en lummig trädgård. Angelina skuttade sorglös hit och dit.

"Kom, Tere', kom och se vad fint det är. Det ser ut som en prinsessas slott. När jag blir stor vill jag också ha ett hus som det här."

Den bistra hushållerskan såg på henne med ett svagt hånflin. Jag kände kalla kårar längs ryggraden. De stack i min hud och fick mig att rysa.

"Det var döden som just snuddade vid dig", brukade farmor Assunta säga när det hände.

Jag vände mig åt höger och vänster, och kastade sedan en blick över axeln.

7

Några veckor senare firades ortens älskade beskyddare, Josef av Copertino, helgonet som mer än sjuttio gånger hade setts lyfta från marken och sväva i luften. Av den anledningen är han känd som piloternas och luftfartens beskyddare. Under de där dagarna skurade kvinnorna rent varenda vrå av husen, redde omsorgsfullt upp tovor i yllemadrasserna, prydde balkongerna med färgglada lapptäcken som de egenhändigt hade sytt och hängav sig åt att baka sötsaker. Farmor Assunta hade lärt mig hur man tillredde degen för att baka zeppole, de traditionsenliga friterade bakverken: mjöl, vatten och socker knådades ihop och lades sedan i kokande vatten, och när den uppblötta massan började släppa från kastrullens kanter släckte man lågan och lät degen svalna på ett bakbord. Av den gulaktiga degklumpen formade vi sedan brödringar som var stora som en handflata och som gräddades på låg värme hos den lokala bagaren.

Under firandets andra kväll skred en procession fram genom gränderna. I täten av kortegen gick fader Geremia och sjöng psalmer med hög stämma. Han var en rundhyllt församlingspräst med en stor, putig mage. Hungersnöden och livet i armod hade inte drabbat honom. De urblekta och genomskinliga lindblommorna som prydde piazzan dansade ovanför hans kala hjässa medan de gamla männen från helgonets samfund bar de tunga guldikonerna på sina armar. Bakom dem följde kvinnorna, svartklädda och med spetsflor på huvudet. De som var sjuka och skröpliga hälsade helgonet från sina fönster, kastade rosenblad och gjorde kors-tecknet.

Farmor Assunta såg betryckt ut och promenerade bredvid oss utan att säga ett ord. Hon hälsade halvhjärtat på några gamla gummor som satt hopkurade på sina yttertrappor och sålde rosor att skänka till helgonet, och fortsatte förbi dem med avog uppsyn och händerna knäppta framför sig.

Vid sidan av gatan fick jag syn på Trollpackan, insvept i en sjal. Liten och lömsk strök hon längs med husväggarna utan att ge ett ljud ifrån sig, för att sedan plötsligt dyka upp och vräka ur sig sina meningslösa förbannelser. Hon gick fram till far-mor och mamma och såg förstulet på dem. Hon var gammal, men något i hennes ögon fick henne att fortfarande se ung ut. Flickögon i ett skrumpet ansikte. Mamma undvek hennes blick och stirrade på sina skospetsar.

Farmor Assunta, däremot, höjde ena handen för att tysta Trollpackan. Hennes ögon var som glödande kol. Flammande eldar.

Vi började följa processionen utan särskilt engagemang. Då och då frambesvärjde fader Geremia ett amen och vi svarade i kör. Från den lilla estraden som provisoriskt hade riggats upp på piazzan hälsades helgonets ankomst med trumvirvlar och blåsin-strument. I ett visst läge gav sig en välluktande vind till känna: den gjorde piruetter runt kvinnorna, runt gamlingarna och runt statyn och doftade av ginst, oregano och vildmalva. Mamma stannade till och hälsade på några kvinnor från vårt kvarter, men allt hon fick tillbaka var förströdda eller bistra nickar. Min och Angelinas blick drogs till en kvinna som höll ett barn i famnen. Det sög slött på sin mammas bröst, dolt under en spetssjal, vidgade och slöt sina små näsborrar medan det långsamt och rytmiskt sög i sig modersmjölk.

"Se så söt han är, Tere". Han ser ut som en liten docka", viskade Angelina.

"Vi går härifrån", inflikade farmor Assunta och vände sig till mamma. "De andra kvinnorna här visar dig ingen hyfs, som du märker."

Jag stannade upp och såg på vår mor. Hon var på nytt vacker och syntes inte längre förtärd av ensamheten. Ögonen, håret, hakans mjuka linje, den välsvarvade figuren som framhävdes av den svarta långklänningens skärning. Vi gick lite åt sidan och jag lade märke till dem, kvinnornas snikna munnar när de pratade om henne. Längs med gränden steg ett ondsint sorl, som hemligheterna som barn viskar i varandras öron.

Farmor Assunta genomborrade mamma med den där blicken som var som glödande kol: "Ser du vad du har ställt till med? Va, ser du? Har du inte ens vett nog att skämmas?" Kände hon kanske till vår mors skam?

Skammen, precis som förtalet, fanns överallt. Den trängde igenom ens hud, lämnade efter sig sår som då och då dök upp på nytt, som sniglar efter ett oväder.

Mamma såg på oss men lät bli att svara farmor. Hon tryckte sin handväska hårt mot bröstet, fortsatte gå i riktning mot helgonet och vände sedan tillbaka. Till slut kom hon bort till mig och Angelina. Orden som hon hade velat uttala dog bort i halsen på henne, och hon förmådde inte göra annat än lyfta handen och rufsa till min systers svarta lockar och mina blonda strån som hade samma färg som vitvinsdruvor, ta tag om hennes robusta kalufs och om min sköra, nästan som i en stympad kram. I det ögonblicket verkade det som om det var just där, i viskningarnas, hemligheternas och skammens formlösa ondska, som den hemliga linjen dolde sig, harmonin, svaret på allt, en mors mirakulösa förmåga att bland tusen möjliga gester välja just den och bara den, en mild och subtil och nödvändig gest, i stånd att förklara det oförklarliga.

Kvinnan med barnet vid sitt bröst kom fram till henne.

"Strunta i dem", sa hon, "de där kvinnorna är ormar." Hon såg över våra axlar, bort mot den plats där tiotals ögon iakttog oss inifrån halvskuggan.

Farmor Assunta gjorde korstecknet. Två tre gånger.

"När min son återvänder hem kommer allt att bli bra igen. Allt kommer att ställas till rätta", mumlade hon med blicken fäst på helgonet, nästan som om hon förde ett förtroligt samtal med honom.

Intill husens kalkstensvägg fick jag syn på Trollpackan. Hon rörde sig som en äggvita på botten av en vippande tallrik. När hon var tillräckligt nära oss blottade hon ansiktet och halsen; den var lång och sträckt och fick huvudet att se ännu större ut, oproportionerligt mot resten av kroppen, som ett ägg som balanserar på ett halmstrå. "Det blåser upp till storm", viskade hon och såg först på oss och sedan på himlen, "jag tänker ta skydd", och så försvann hon in i halvskuggan intill husen.

Det dröjde inte många sekunder förrän de silverfärgade flygplanen dök upp på himlen och flög i formation ovanför våra huvuden.

"Det är våra", mumlade en av gamlingarna.

"Nej, det är deras."

Strax därefter började flyglarmet tjuta.

"De är för sena!" ropade kvinnorna. "De varnar oss försent!"

De gamla männen som bar på helgonet började springa mot kyrkan medan fader Geremia lyfte på sin långa kaftan och uppmanade medlemmarna i samfundet att skynda sig. Kvinnorna högg tag i barnen. Angelina och jag klamrade oss fast i mammas klänning och farmor Assunta följde efter oss med raska steg. Klagosången spred sig som en löpeld över gatan. Ryktena, det osammanhängande pladdret, grannfruarnas stoj. Trollpackan hade hört vinden, på samma sätt som djuren kan ana sig till ett oväder eller en jordbävning. Hon var, precis som de, en varelse som blivit kvar på ett mer primitivt stadium, och det var just därför hon såg saker och ting på djupet, ända ner till deras rötter.

När vi kom fram till vår gata stod skyddsrumsmannen och väntade vid entrén till den moderna byggnaden.

"In mer er, in med er, vi måste stänga dörren."

Farmor Assunta tog sig för bröstet. Stressen var inte bra för hennes hjärta. Jag vände mig om. Var hade kvinnan med barnet blivit av? Plötsligt såg jag bara henne för min blick, som något vackert som måste räddas. Det enda som fortfarande var oskuldsfullt. Jag kunde inte se henne någonstans. Mina ögon fylldes med tårar.

"Kom, Tere'", ropade Angelina.

Vi började gå nerför den smala och nedgångna trappan. Stanken av piss och fukt stack i mina näsborrar. För varje steg jag tog blev luften kallare och den trängde ända in i mitt skelett. Därnere i den mörka källaren stod en kvinna och sjöng en sång om moderskärlek och om rädslan för att förlora en son.

Farmor Assunta började snyfta dämpat.

"Jag vill också ha min son hos mig. Min son är också den stiligaste av dem alla", viskade hon, och upprepade orden i sången.

Mittemot oss stod Baggen, barnmorskans man. På orten sades det att han, bland mycket annat, var kommunist.

"Och vilka är det som har sänt ut era söner i krig? Det är det ni själva som har gjort."

Skyddsrumsmannen tecknade åt honom att tiga, att det inte var rätt läge att säga den sortens saker, med flygplanen som mullrade ovanför våra huvuden och rädslan för att bombarderas i vilket ögonblick som helst.

"Ånej, jag tänker minsann inte tiga längre. Ni ville ha Ledaren. Ni älskade honom allihop. När ni hörde hans tal på radion ropade ni: 'Ledare, ledare, ge oss ljuset!' Och det här är ljuset som han har gett er. Stearinljusen i den här källaren som stinker av skit och piss."

"Tyst med dig, din kommunist", svor kvinnan som nyss hade sjungit.

"Inför kriget är vi alla lika", sa mamma sorgset.

"Men hör på henne", fräste kvinnan. "Som om hon hade något att säga om den saken. Du är inte en av oss. Precis som den här kommunisten inte är en av oss."

"Nu räcker det!" utbrast farmor. "Tänker ni inte på dem som befinner sig långt härifrån? De som är ute i det riktiga kriget? Min son är där och det är även din son: alla har vi en son eller en make eller en bror vid fronten. Det är ni som borde känna skam", tillade hon och såg på kvinnorna som satt på de provisoriska bänkarna med sina knäppta händer vilande på magen och blickar som förlorade sig i mörkret.

"Tere', vad är det egentligen för skam hon pratar om?" viskade Angelina till mig, med handen kupad över munnen.

Jag funderade ett ögonblick, sedan böjde jag mig fram mot hennes öra: "Det är som när en hjort mister sina horn under en strid."

"En hjort?"

"Ja, Angeli'. När den blir besegrad. Från det ögonblicket vet alla att den är svag, att den har förlorat sin kamp."

"Och vad har det med människor att göra?"

"Skam, Angelina, känner man över något som man förlorar och inte kan återfinna. Och alla vet om den. Alla kan se den. Alla känner den, även om man ibland inte ens själv vet vad det är."

Flyglarmet upphörde. Med mödosamma steg klev vi uppför trappan, noga med att inte stöta till varandra. Sedan promenerade var och en i sakta mak hem till sitt. Det var mörkt, men en rund och klar måne tycktes samla upp allt ljus, reflektera det och mångfaldiga det som en fasettslipad spegel. Angelina och jag betraktade de nedsläckta fönstren längs med gatan, metallinorna som användes för att hänga tvätt och som blänkte i dunklet.

Instinktivt talade alla lågmält. Även vi barn viskade, till och med barnmorskans kommunistiske man, som om fiendeöron låg på lur och tjuvlyssnade på oss. Det enda ljudet som fyllde natten var syrsornas sång. Vi hörde ytterdörrarna slå igen, den ena efter den andra.

När vi kom hem tände mamma taklampan. Farmor Assunta blev stående på tröskeln och såg länge på oss: "Kan jag sova hos er i natt?" frågade hon till slut. "Jag känner mig ensam hemma hos mig, och jag är rädd."

Mamma nickade, men inte ett enda ord till yttrades mellan dem den kvällen. Vi gick och lade oss allihop i den stora sängen, mamma och farmor på varsin kant och Angelina och jag i mitten. För en gångs skull låg vi inte med huvudena åt olika håll. Hennes svarta, lockiga hårburr kittlade mig på näsan och på hakan. Hon låg med ansiktet tryckt mot min hals.

Ett intakt och likaså skört universum tog form runtomkring oss för ett kort ögonblick. Vi var fyra ensamma kvinnor. Angelina lyfte på huvudet och log mot mig. Hennes hy, upplyst av skenet från lampan, hade samma färg som terrakotta, och ett litet utstående födelsemärke prydde hennes kind.

"Så vacker du är, Angelina", sa jag.

Mamma vände sig om och kramade oss.

"Ni är vackra båda två, mina små döttrar. Fantastiskt vackra."

"Se på månen, flickor. Se på den", mumlade farmor Assunta och klev upp ur sängen för att öppna fönsterluckorna. "Tänk att även er far, varifrån i världen han än betraktar den, ser samma måne som vi."

Jag försökte föreställa mig den främmande plats som han befann sig på i det ögonblicket. Han skulle inte se himlen så som den var i vår del av världen, färgad i orange och violett, som om den var färglagd med ett barns färgpennor. Han skulle inte heller se vinodlingarna med deras snirkliga och knotiga stammar, fälten som säden färgade gröna om våren och gula om sommaren, de röda jordkokorna som bönderna varje dag bearbetade med sina hackor, brasorna ute på stubbåkrarna. Han befann sig långt borta från den värld som var bekant för honom. Jag undrade om han skulle känna igen den när han kom tillbaka.

8

"Vad grubblar du över, Tere'?" frågade mamma under tiden som hon studerade sin spegelbild i glasdörrarna på den stora skänken. Den smäckra figuren som den nya klänningen med utsvängd kjol gjorde ännu slankare, håret som var lagt i styva lockar runt hennes kinder. I samma glasdörrar hade pappa beundrat sig själv den dagen som han begav sig ut i krig. "Det onda kriget" kallade han det, för han var övertygad om att det verkliga kriget måste utkämpas på hemmaplan, och syftade på det mot olyckan, mot hungern, mot kylan, mot sjukdomarna, mot de kroppsliga och själsliga såren.

"Vad grubblar du över, Tere'?" frågade hon, men jag svarade inte.

Då böjde hon sig ner mot mig, smekte håret i min nacke och försökte förgäves prata med mig, med trutande läppar och en otålighet att ge sig av som förfulade hennes ögon, fick dem att se matta och livlösa ut. Kanske ville hon i de ögonblicken berätta allt för mig; kanske var det mina rädslor som blev till oroväckande, stumma bilder. För om jag blundade såg jag henne inne på Personès gods, stående framför baronen som med skälvande muskler slog ut med armarna och visade henne hur stort hans hus var.

"Du behöver inte oroa dig, Tere'. Mamma kommer snart tillbaka." Men skammen lamslog mina ögon och mina ben.

En gång i veckan gick hon hemifrån iklädd sin nya klänning.

"Om farmor kommer, säg till henne att jag snart är tillbaka", var den enda uppmaningen hon gav mig.

De gångerna blev jag kvar hemma för att se efter Angelina. Vi brukade sitta på golvet och leka med trasdockan. En morgon klädde hon av sig helt naken och ställde sig framför spegeln: "Ser du, Tere', jag börjar få bröst", sa hon belåtet. Hon kramade dem spjuveraktigt i händerna och kittlade de pyttesmå, rosa bröstvårtorna. "Du då, Tere', har du fått bröst än?"

"Lite grann", svarade jag generat.

"Låt mig få se dem, då. Kom igen, Tere'. Så att jag vet hur mina kommer att se ut när jag är lika stor som du."

Och där, med ryggen vänd mot draperiet som skilde sängarna från köket, framför spegeln där pappa hade beskådat sig själv som soldat och där mamma varje vecka gjorde sig fin, lyfte jag på klänningen och visade brösten för min syster medan syndens rodnad spred sig över mina kinder. Det var i det ögonblicket som jag insåg att Angelina hade samma påverkan på mig som en fordrande vålnad.

"Visst är de fina, Tere'? Lika fina som mammas."

"S-s-säg inte s-s-sådana s-s-saker ..."

Jag drog några djupa andetag, höll kvar luften i lungorna för att sedan långsamt släppa ut den. Jag tänkte att det skulle hjälpa mig att slappna av och sluta stamma.

Angelina drog på sig klänningen igen och började skrattande skutta runt i rummet: "Teresa stammar, Teresa stammar!" tjöt hon.

Jag släppte ner min uppdragna klänning och började springa efter henne. Då plockade hon upp trasdockan från golvet och snurrade runt med henne i famnen.

"Hörde du det också, Ninetta? Min syster är stor och hon kan inte prata."

Hon gömde sig under sängarna och bakom draperiet. Jag visste inte vad jag skulle göra om jag fick fatt på henne. Kanske hoppades jag att det skulle räcka med att röra vid henne för att hon skulle sluta. Kärleken och hatet pulserade i mig samtidigt och blandade sig med varandra. Ögonen, håret, hakans mjuka linje, den smäckra figuren, de långa och slanka benen. Den där kroppen var även min, jag kände det som om hon tillhörde mig, att en tunn men oförstörbar tråd höll oss samman. Att jag inte kunde hata henne på riktigt.

Plötsligt kände jag hur en varm vätska blötte ner mina trosor och rann längs insidan av ena låret. Jag stannade upp framför spegeln. Blodet hade trängt igenom den vita bomullen och strömmade sakta nerför min hud. Angelina hejdade sig. Hon stirrade på mig, förstenad i ett koncentrerat uttryck som förseglade hennes mun och fick hennes panna att vecka sig. Ögonblicket därpå slängde hon Ninetta på golvet och sprang fram och kramade mig. Hennes huvud nådde mig upp till halsen. Hon kurade ihop sig mellan mina armar och höll om mig hårt. Jag kände hennes svarta lockar mot min mun och mot mina kinder.

"Förlåt mig, Tere', det är mitt fel. Jag var elak och nu blöder du. Dö inte, Tere', dö inte."

I samma ögonblick kom mamma hem. Vanligtvis skyndade hon sig in, otålig att få ta av sig klänningen, att tvätta den och hänga den på tork i solen, sträcka ut den över smultronträdets grenar. Sedan brukade hon ställa ifrån sig maten på bordet medan hon undvek att se på mig. Ända sedan hon hade den där fina klänningen i sin ägo kom hon hem med färska ägg, kött, smör som var så mjukt att man kunde skära det med fingret. Hon hade lagt på sig de tappade kilona och såg på nytt frisk och välmående ut, vackrare än någonsin. Efter att hon hade tvättat av sig brukade hon springa och hämta sitt och pappas bröllopsfoto; hon tryckte det mot kroppen och suckade djupt, sedan sa hon åt oss att äta, för på den tiden var något att mätta magen med mer värt än all mark i Copertino.

Men den här dagen gled matkassarna ur händerna på henne. Hon låste dörren bakom sig, som om den där hemliga vrån av världen i det ögonblicket måste tillhöra bara oss. Som om kriget, bomberna, hungern, baronen som lade sina händer på henne och fick henne att känna sig lösaktigare än alla fnask i Copertino, var ingrodda smutsfläckar som hennes moderskärlek kunde lösa upp och utplåna från jordens yta.

"Min lilla flicka. Min lilla flicka har blivit stor", sa hon och kramade om mig.

"Hon kommer väl inte att dö, mamma?" snyftade Angelina.

"Inte kommer hon att dö, hjärtat. Tvärtom. Vänta bara, så ska du få se hur vacker hon kommer att bli nu. Den vackraste flickan i hela Copertino."

I den stunden stod tre kvinnor – en mor och två döttrar – omfamnade och trotsade bomberna, kriget och hungern, den kroppsliga och den själsliga döden. Jag har aldrig upplevt min mamma så sårbar som hon var i den stunden. Jag har aldrig älskat henne så mycket som då.

Hon sträckte på sig för att plocka fram en linnebinda som hon förvarade i en av lådorna i skänken.

"Den här har jag lagt undan åt er, mina flickor, precis som min mamma – må hon vila i frid – en gång i tiden lade undan den åt mig. Det är livet som går vidare, käraste ni. Det är hoppet om framtiden."

Hon fyllde ett tvättfat med vatten som hon hade låtit koka upp på spisen och rengjorde mig omsorgsfullt. Angelina stod i ett hörn av rummet och bevittnade ritualen som hade en känsla av urgamla traditioner. Medan mamma gnuggade mina ben rena sjöng hon på en långsam visa, en följd av ord viskade på ett svunnet språk som inte var den dialekt jag kände. Angelina stod alldeles stilla och såg på medan hon kramade Ninetta i famnen.

"Se så vacker hon är, Ninetta. Se på min syster. Hon kommer att bli den vackraste flickan i hela Copertino", viskade även hon.

När mamma hjälpte mig upp för att torka mig och lägga linnebindan i mina trosor, betraktade jag mig själv i spegeln. De lätt rundade höfterna, de små brösten, det ljusa, raka håret som nådde mig ner till axlarna. Jag kände ett underligt pirr i nedre delen av magen, som om jag blev tillfredsställd av att se på mig själv, en pulserande värme mellan ljumskarna. En stingande smärta tvingade mig plötsligt att huka mig. Den kom långt bortifrån, fick det att ila i njurarna och försvann sedan.

"Din pappa brukade säga till mig att det finns en tid för allt här i livet. Det var hans farfar, Nicola, som hade lärt honom det när han var liten."

"Berätta mer, mamma. Berätta vad hans farfar sa."

Vi kurade ihop oss på madrassen, mamma i mitten och så jag, Angelina och Ninetta i hennes famn.

"Då så, vill ni höra berättelsen om er pappa som liten pojke?"

Vi nickade. Angelina rörde på Ninettas huvud så att det vickade fram och tillbaka.

"Blunda då, så kan ni se allt bättre framför er. Berättelsen börjar med stjärnorna ... Er pappa tyckte om att sträcka ut sig i gräset och blicka upp mot himlen. Hans farfar Nicola brukade ta med honom ut på fälten i Copertino för att spana efter ödlor och fjärilar."

"Jag tycker också om att fånga fjärilar", inflikade Angelina.

"Sch, avbryt inte mamma."

"När de blev trötta slog de sig ner i gräset och åt bröd och ost. Farfar Nicola älskade er pappa djupt."

"Farfar Armando älskade oss också, eller hur, mamma?"

Vi slog upp ögonen båda två, och nu ruskade Angelina trasdockan så att den studsade hit och dit.

"Blunda, flickor, så ska jag fortsätta berätta."

Angelina lade ner trasdockan i knäet och knep ihop ögonen hårt.

"Medan de satt och åt såg de på stjärnorna och, långt där borta, ljusskenen från husen. 'Det finns en tid för allt', sa farfar Nicola. 'Var sak har sin säsong. Säsongen för att skörda frukten och den för att så fröna. Säsongen för det goda och den för det onda. Säsongen för livet och den för döden.' Förstår ni vad det innebär, flickor?"

Vi slog upp ögonen och såg på varandra.

"Vad betyder det, mamma?" frågade Angelina och började skruva lite på sig.

"Att var sak här i livet har sin tid. Att även om vi just nu är ledsna och känner oss ensamma så kommer det inte att vara så för alltid. De bra säsongerna och de dåliga. Det vita och det svarta."

Jag såg att hon blev dyster när hon uttalade de där orden. Hon kramade oss hårt och kysste oss i pannan och på huvudet, överöste oss med kyssar, och sa sedan: "En dag ska jag också ta med er för att se på stjärnorna. Vi sträcker ut oss i gräset och beundrar dem. Vet ni att stjärnorna som vi ser på himlen redan är döda sedan väldigt, väldigt lång tid tillbaka?"

"Men vad sorgligt, mamma", sa jag.

"Det är inte sorgligt, tvärtom, det är mycket vackert. Tänk att de har varit döda i miljontals år och ändå kan vi fortfarande beundra dem härifrån."

"Det är ett mirakel, mamma."

"Ja, Tere', det är ett mirakel."

Angelina och jag lade huvudet mot hennes bröst. Våra andetag hittade samma takt.

"Sov nu, så ska ni se att allt kommer att bli bra."

Och de orden fick mig att tänka att varenda sak kunde lagas, lappas och sys ihop igen, på samma sätt som en trasig docka.

9

Under månaderna som följde kom de fasansfulla nyheterna från fronten allt oftare, och med dem tätnade även grannfruarnas besök. På sätt och vis hade kriget faktiskt utfört ett mirakel: för en tid var det ingen som längre brydde sig om mammas skam. Solidariteten förde samman ortens kvinnor och förenade dem i deras ensamhet.

I gränderna och på marknaden hade det röriga stimmet förvandlats till ett dämpat sorl av viskande röster. De gamla försäljarna tisslade och tasslade. Mödrarna tisslade och tasslade, likaså de unga kvinnorna vars hjärtan hade brustit när deras fästmän åkte till fronten. Ingen ville prata om de döda. Liven som hade släckts i förtid förtjänade respekt, och blott att prata om dem befläckade dem och gjorde det än svårare att uthärda förlusten. Det här var dagar, månader och år av oändlig väntan. Ingenting skulle kunna skada oss om vi bara höll ihop.

Följaktligen marscherade en procession av bondhustrur till vårt hus från klockan fyra på eftermiddagen, var och en med ett arbete att slutföra. Vi slog oss ner alla tillsammans precis innanför ytterdörren, i ring på stolarna med flätade sitsar. Bland dem fanns också Nenenna, som var så tjock att hennes mage såg ut som kölen på en båt, och hennes dotter Lollina som virkade plädar, barnkoftor och turkiska tofflor i alla tänkbara färger. Nenennas stora passion var makramé. Med blixtsnabba fingrar knåpade hon ihop invecklade spindelnät samtidigt som hon pratade på i timmar. Till släktingarna anslöt sig också grannfruarna: Giulietta och häxan. De var inte skickliga med virknålarna men hade alltid med sig en näve bondbönor att sprita eller torkade kikärter att knapra på. De satt i ring och kommenterade historier som de hade hört från andra kvinnor, varje gång med lite olika variationer för att inte bli uttråkade och för att göra även struntsakerna mer intressanta, och upprättade ett slags olyckshierarki, så när Nenenna beklagade sig över en besvärlig ischias svarade farmor Assunta: "Då skulle du bara veta vad jag har."

Och sedan började var och en jämra sig över den ena eller den andra krämpan som plågade dem sedan urminnes tider.

Nenenna berättade även historier om banditerna som anlände från avlägsna trakter eller kom ner från Dauniabergen, och som om nätterna terroriserade bondebefolkningen i jakt på mat och kvinnor. De utnyttjade den sociala oordning som hade uppstått i och med regimens sönderfall, avsaknaden av regler i krigets kaos. De var vana att sova i skogen, att livnära sig på ogräs och rötter som de ryckte upp ur jorden. Precis som banditerna som hade gömt skatten i Torre del Cardo bar de trasiga kläder och draperade sig i svarta mantlar för att gömma sig i nattens mörker. Några av namnen hade en särskilt skräckinjagande klang: Bomben, Vitöga och Fladdrande skynkena. När de syntes till på orten sa de gamla att de var fördömda själar som då och då rymde från helvetet och återförenades på jorden för att föra med sig någon döpt kristen. Mamma, som hade tagit för vana att barrikadera ytterdörren med köksbordet, bommade för fönstren och bad varje kväll att Bomben, Vitöga och Fladdrande skynkena aldrig skulle dyka upp.

"De kommer från den eviga smärtans land", sa häxan.

"Från helvetet?" frågade jag vid ett tillfälle.

"Nej, kära Teresa, den eviga smärtans land är där vi lever. Det är här som barnen dör av svält eller ger sig av för att dödas i någon skyttegrav, som soldater. Det är här som fäderna sliter ont från morgon till kväll bara för att göra sådana som baronen rikare. Du har ju sett baronen … Han äger allt, doftar av blommande lavendel, framstår som ren och välvårdad, men inombords stinker han, blodet som flyter i hans ådror är infekterat."

Jag svalde en stor salivklump, för i mig och Angelina väckte baronen inget annat än positiva känslor; men som farmor brukade säga döljer sig fulheten – precis som djävulen stundom gör när han antar skepnaden av vackra kvinnor – i skönheten.

Ibland spådde häxan i kaffesumpen som låg kvar på bottnen av kopparna, och för att göra känslan mer högtidlig stängde hon fönsterluckorna. Det svaga ljuset sipprade in mellan lamellerna och kastade skuggor på väggen. Alla satt och väntade med knäppta händer som slappt vilade på bordet. Häxan rättade till den svarta sjalen som hon hade knutit runt huvudet och lyfte blicken mot taket.

"Nå, ut med språket", hetsade Nenenna, som aldrig hade haft tålamod.

Hennes dotter sneglade på henne. Vi visste att Lollinas enda önskan var att gifta sig med en välartad ung man, men nu när alla friska män var ute i krig blev saken mer komplicerad, och Lollina närmade sig den ålder då en kvinna började utpekas som nucka.

"Jag ser en högrest man", sa häxan en dag, "muskulös och med stora ögon."

Nenenna sken upp och flyttade sin tjocka bak från den ena sidan av stolen till den andra.

"Jag visste väl att min dotter hade ett lyckosamt öde att vänta!"

Häxan ställde ner koppen på bordet och såg ingående på var och en av oss. Hennes irisar tycktes tigerstrimmiga och ingöt skräck.

"Ja, men det är en bluff", fastslog hon.

"Ut med språket!" jäktade Nenenna henne.

"Vissa saker är det bättre att lämna på botten av kaffekopparna", sa hon och reste sig med ett ryck.

Men Nenenna manade henne att fortsätta, och det gjorde även Lollina och barnmorskan Giulietta. Även farmor Assunta krävde rättvisa och menade att hon inte kunde låta oss sväva i ovisshet på det där sättet, utan att berätta varje detalj om flickans öde.

"Nåväl, ni bad om det", sa häxan och lade an en bedrövad uppsyn. "Han är svart. Den muskulöse mannen med de stora ögonen är kolsvart."

Nenenna gjorde korstecknet flera gånger och kastade sedan ett snett öga på sin dotter, som genast slog ner blicken.

Det här var på den tiden då man såg amerikanska soldater med alla tänkbara hudfärger på Copertinos gator. De delade ut chokladkakor och fyllde gatorna med trängtande suckar. Flickorna såg drömskt på soldaterna, som tog sig för bröstet och skickade kyssar åt höger och vänster.

"Kaffesumpen ljuger ibland", tillade häxan och dukade undan kopparna från bordet.

Kvinnorna såg på varandra under några sekunder, sedan vände sig Giulietta till farmor och ställde den rituella frågan: "Hur mår Nardino?"

I det läget blev farmor sammanbiten och svarade inte genast. Hon fick en primadonnas drömska blick och väntade på att någon av grannfruarna skulle sporra henne att tala.

"Kära Assunta ... Berätta nu, hur är det med honom?"

Då fick hon ett bedrövat uttryck, böjde sig ner och plockade upp korgarna som hon tillverkade av halm som blivit kvar efter skörden. Hon satte igång att arbeta med sina rynkiga händer som såg ut som förtorkade kvistar och undvek att se grannfruarna i ögonen, för hon visste att hon i vart och ett av deras ansikten skulle ha läst något som hade gjort henne gråtfärdig.

Mamma reste sig, gick bort till skänken och tog fram den gamla lådan i bleckplåt. Hon plockade upp ett av pappas brev, vecklade upp det och räckte det till mig. Kvinnorna satt tysta och väntade. Jag reste mig och tog brevet i händerna, drog efter andan och räknade till tio innan jag började läsa. Lugnt och fint, precis som jag hade lärt mig.

10

Så en natt inträffade något som vi aldrig skulle glömma, en sådan där händelse som man inte förmår begripa och som man inte ens vill begripa. Vi låg hopkurade i den stora sängen, Angelina, mamma och jag, när ytterdörren plötsligt slogs upp. Vi vaknade med ett ryck, med ögon som fortfarande var klibbiga av sömn. Till en början kunde vi bara ana två skuggor som förstulet rörde sig genom köket. Sedan hörde vi hur draperiet in till sovrummen drogs åt sidan. Stearinljuset var nästan helt nedbrunnet, men vi kunde ändå tydligt urskilja de två gestalternas bistra ansikten.

"Vad vill ni?" skrek mamma. "Fladdrande skynkena är i mitt hem!"

Medan jag skräckslaget betraktade ansiktet på den ena av de båda banditerna, sinnebilden av det okända, direkt från fälten i Daunium – en legend snarare än varelser av kött och blod – funderade jag över namnets betydelse. Det där öknamnet fyllde gränderna och fälten, precis som de urgamla sägnerna om banditerna. De kallades "Fladdrande skynkena" eftersom de som barn var så fattiga att de inte hade råd med kläder och fick nöja sig med att vira trasiga filtar runt de intima delarna och runt bröstet. Inte heller deras kvinnor, sades det, hade någon som helst barmhärtighet i sig; de var enormt lystna och eggade upp karlarna i nattlägren, slinkor med smutsiga ansikten som lyfte på sina kjolar och för evigt fångade männen i vämjeliga, ljumma paradis. De bodde i skogarna och ute på fälten, livnärde sig på harar och råttor, stal från bönderna.

"Blunda", sa mamma. "Blunda, flickor."

Jag gjorde som hon sa, men kunde inte låta bli att öppna ögonen igen. Den kortaste av de båda banditerna brast i skratt, och hans garv lät som det skärande ljudet av två vassa knivblad som dras mot varandra. Angelina började gråta och nu grät även jag, om än mer dämpat.

"Vi har ingenting att äta. Låt flickorna vara, jag ber er", viskade mamma. Hennes röst lät som en kvävd väsning, som om hon inte hade tillräckligt med luft i lungorna.

Den mest storvuxne av Fladdrande skynkena drog upp en kniv ur slidan som han hade hängande i bältet på de trasiga byxorna.

"Jag ber er", bönföll mamma.

"Vi är inte hungriga, oroa er inte", sa den kraftigaste av dem.

Hans röst hade en ovanligt djup klang, hes och dov, och påminde snarast om ett vilddjurs läte. Han gick fram till mamma med kniven i handen.

"Blunda!" skrek hon till oss mellan tårarna.

Banditen grep tag i mammas hårfläta och skar långsamt av den medan ett flin bredde ut sig i hans ansikte. Nu såg vi honom på nära håll. Hans anletsdrag var monstruösa, näsan grov och kraftig och täckt av bölder. Ögonen var små, och de stora öronen prydda av små hårtofsar. Bland Fladdrande skynkena kopulerade mödrar och söner, bröder och systrar med varandra, och därför utvecklade de nyfödda barnen bisarra och ofullbordade anletsdrag, nästan som om det under mognadsprocessen från barn till vuxen var vissa bitar som gick förlorade, endast det väsentliga blev kvar och förfiningsarbetet lämnades åt slumpen.

"Fader vår som är i himmelen …", började mamma recitera. "Teresa, ta med dig din syster härifrån", sa hon sedan, "ta henne härifrån, Tere', gå till andra sidan rummet och dra för draperiet. Dra för det noggrant. Blunda och håll för öronen."

Angelina lät sig tyst föras till köket. Hon kröp ihop under bordet och jag kramade om henne. Hon gjorde sig så liten hon kunde, som ett djur som tar skydd i sitt bo. Även jag blundade och försökte stänga ute ljuden som kom från andra sidan rummet.

Mina tankar vandrade till en vårdag några år tidigare. Vi var ute i skogen, Angelina och jag och en grupp småpojkar från orten som tyckte om att leka vuxna. En av dem hade fångat en skalbagge och bundit fast en tråd i dess ena ben. Pojken svängde skrattande runt med skalbaggen som sprattlade med sina fria ben.

"Vill du testa? Varsågod", sa han till mig med ett flin.

En bit bort hade två andra pojkar slagit ner några fågelbon från träden, ett offer av små fjäderlösa fågelungar med stora gula näbbar. Fågelungarna skrek och pojkarna skrattade.

"Ikväll gör vi upp en ordentlig brasa och grillar dem."

De var så små, och de grät. Även Angelina grät. Jag var snarare arg än ledsen. Om jag bara hade vågat skulle jag ha klått upp de där skitstövlarna och räddat fågelungarna.

"Dumma smågiln", sa de till oss. "Ni är bara två dumma småglin. Om ni inte vill äta dem så slipper ni. Det är bara fåglar."

I det ögonblicket kände jag att vi var som de där små fjäderlösa fåglarna. Inget annat än kött. Kött att roa sig med. Även jag rabblade *Herrens bön*. Jag hoppades på så vis slippa höra de fasansfulla flämtningarna från andra sidan draperiet, och mammas snyftningar som hon försökte kväva för att vi inte skulle höra.

När de var färdiga med henne ryckte de undan draperiet, plockade upp ett äpple från bordet och satte tänderna i det, samtidigt som de med andra handen grävde runt i sina byxor. Sedan gick de sin väg.

Mamma reste sig från sängen, fortfarande skakig i kroppen. Hon gick och hämtade karet som fascisterna hade skonat och fyllde det med den lilla mängd vatten som vi tidigare samma dag hade varit och hämtat i brunnen. Då och då lyfte hon blicken och såg på oss medan hon bet sig i underläppen. Hon hade inga ord. Ingenting för att trösta oss. Inte ens för att säga att allt var okej. Hon kröp ihop i karet och började vagga fram och tillbaka. Angelina och jag kröp ut från vårt gömställe under bordet och gick bort till henne. Hand i hand. Ingen av oss vågade lämna den andras sida. Därinne i köket förflöt natten som en blek avbild av livet. Mor och döttrar. Vi var tre överlevande i en stillastående skärseld av handlingar som inte längre var mänskliga.

"Det är kriget", var allt hon lyckades få ur sig.

Sedan dröjde hon sig kvar ett ögonblick framför spegeln, och Angelina och jag stod alldeles stilla och såg på henne. I hennes ögon kunde jag skönja en rå och oskuldsfull blick, som på ett djur som väntar på en välgärning, på sin räddare i nöden. Hon lyfte sin darrande högerhand och höll den i höjd med ansiktet, kramade den hårt i den andra handen för att de spastiska och ofrivilliga rörelserna skulle upphöra. I det läget vände hon sig mot oss, men hennes ögon tycktes frånvarande, fästa på en obestämbar punkt. När hennes blick föll på mig kunde jag känna hur ren och vilsen den var. Det var en blick som jag aldrig skulle glömma. Det var som om hon först då, i det ögonblicket, på riktigt insåg vad som hade hänt den natten. Och att inget, från den stunden, skulle bli detsamma igen.

"Nu klär vi på oss, flickor", sa hon sedan. Hennes ord nådde oss som ett uttryck framdraget ur glömskan.

Med varsamma rörelser drog hon på sig en svart tunika och klädde sedan oss. Hon gjorde det omsorgsfullt, som om vi var på väg till söndagsmässan. När vi gick hemifrån var det redan gryning. Jag hade känslan av att inget av husen som vi passerade på vägen längre var detsamma. Jag såg på dörrarna och de pyttesmå fönstren, standardtaken utan utsprång. Vi promenerade mot ortens centrum. En kort sträcka i uppförsbacke och sedan vidare mot det område där husen började tätna och där kullerstenar stack upp från de stora, släta plattorna i vit sten, som sköldlössen som sitter på fikonträdet och infekterar dess grenar.

Vi stannade upp först när vi kom fram till kyrkan. Mamma gick ner på knä framför statyn av den heliga jungfrun, gjorde korstecknet och blev sedan sittande så, med händerna knäppta som i bön och blicken fäst på jungfruns ansikte.

Även jag vände blicken mot henne. Jag bad att pappa skulle komma tillbaka levande. Att kriget skulle ta slut. Kanske hade mamma rätt: det var kriget som förändrade människor. Jag undrade bara om saker någonsin skulle bli som förr igen. Om vi fortfarande skulle ha tillträde till lyckan.

Man kan återhämta sig från vad som helst, om livet tvingar en till det. Huden återbildas och reparerar skadan som tillfogats en, och man minns inte längre smärtan. Minnet kvarstår främst som en varning.

Vinden hade blivit hård och hettan kvävande. När vi kom ut fylldes näsborrarna av dunster av urin och stanken från kadaver som låg övergivna vid sidan av gatan, fräna odörer som blandade sig med den härliga doften av nygräddat bröd. Jag traskade på som en uppvridbar docka och hoppades att greppet om mammas hand skulle räcka för att utplåna spåren efter den där välbekanta smärtan som tryckte över mitt bröst som en gravsten.

Det var slutet av 1943. De amerikanska soldaternas blänkande uniformer blandades med de gamla kvinnornas långa kjolar och småpojkarnas söndertrasade kortbyxor.

En mörkhyad soldat räckte oss två chokladkakor.

"Ta emot dem, flickor. Varsågoda", sa mamma till oss.

Angelina och jag satte glupskt tänderna i chokladen.

"Smaka, mamma", sa vi och räckte henne varsin bit.

Hon tuggade chokladbitarna långsamt och försiktigt, som om hennes kropp hade glömt bort hur de allra enklaste gester utfördes.

Soldaten log och blinkade åt oss med ena ögat. Han hade stora kritvita tänder, och trots att hans ansikte var svart var det perfekt, slätt som på en docka. Han böjde sig ner mot oss, med händerna stödda mot knäna, och såg sig omkring. Han betraktade den där världen av vit sten, i vilken kvinnorna rörde sig som svarta fläckar med shoppingväskor i händerna och småbarn gick som klistrade vid deras ben.

Sedan vände han blicken mot oss igen: "Good luck", sa han till slut. "Lycka till", förtydligade han, med en underlig betoning av y:et.

Angelina log och försökte härma lyckönskningen på soldatens språk.

"Good luck", sa han igen, och fortsatte gå.

11

Dagarna förflöt i allt större armod, och mellan husets flagnande väggar började årets första kyla ge sig till känna. Ortsborna var desorienterade. Bönderna kunde inte längre särskilja soldaterna som stod på vår sida från de som var våra fiender. Baggen, för sin del, gick runt och sa till alla att hans vänner inom kort skulle röja fascisterna ur vägen. Då och då föll det strimlor av stanniolpapper från himlen, och vi barn misstog dem för gåvor från helgonen. Några av de mer sakkunniga bönderna förklarade senare att de där strimlorna kastade samma silhuetter som flygplanen som flög över våra huvuden, och alltså syftade till att avleda vår uppmärksamhet. Det var alltså precis så som farmor hade lärt mig: bakom skönheten dolde sig fulheten.

En morgon tog mamma, Angelina och jag en tur bland de få salustånden på marknaden. Sedan den där natten då de fördömda kom ner från helvetet hade hennes ord reducerats till de allra väsentligaste. Angelina och jag hade funnit oss i det nya tillståndet, hennes sätt att i samma ögonblick vara alldeles bredvid oss och väldigt långt borta. Ute på gatorna promenerade hon längs med husväggarna med blicken i marken. Det var som om hon ständigt kände sig skuggad av en vålnad som följde henne vart hon än gick. Hon talade till och med till den ibland: "Du är en förkastlig människa", sa hon och såg sig i spegeln.

Om hon sa det till vålnaden eller till sig själv, vet jag inte. Nu tänker jag att hon kanske kände vålnaden inom sig.

På marknaden var tillgången på varor skral, och om det inte hade varit för bönderna som tog med sig säsongens gröda från åkrarna hade vi alla svultit ihjäl. Angelina och jag rörde oss i sicksack mellan stånden med oliver och nötter, och mamma följde efter oss med varsamma steg. En bit längre fram stod en klunga kvinnor och småpratade framför specerihandlaren don Beppes saluständ. Han ägde en handelsbod som sålde kryddor, kaffe, socker och karameller. Att gå över tröskeln till hans butik var som att kliva in i en medeltida kirurgs rike, och man överväldigades av den starka lukten av kanel och doftoljor. Don Beppe hade en dotter i min ålder, en flicka som hade späda axlar och platt bröst och som alltid såg på mig och Angelina med bister uppsyn. Hon irriterade mig, men jag tyckte också synd om henne. Den här dagen var hon på marknaden tillsammans med sin pappa. Hon satt på en bänk med ansiktet stött mot handflatorna. Framför de små runda glasflaskorna som innehöll aromer för alla smaker och pulver i alla tänkbara färger, stod kvinnorna samlade i en halvcirkel runt barnmorskan. Krigets umbäranden hade inte lämnat några synliga spår på hennes imposanta kropp. Den fylliga, mjuka bysten föll ner över hennes mage och formade två stora pucklar.

"Kom hit, Cateri', kom hit och lyssna, du också", sa hon till mamma och vinkade henne till sig.

Barnmorskan kunde inte känna till de skrämmande upplevelser som hade brutit in i mammas liv, hennes likgiltighet för allt, låtsassjälen som hon hade iklätt sig för att kunna gå vidare. Brödet att blöta upp med mjölk, den stuvade kålen, fjäderhyacinten från farmor Assuntas köksträdgård, måltiderna som alltid bestod av mer vatten än grönsaker. Ungtuppen med gul fjäderdräkt som farmor

Assunta offrade en gång i månaden. Och så nätterna då hon likt en skugga klev upp ur sängen och gick och öppnade sekretären; jag brukade iaktta henne och kände en kvävande ängslan trycka över mitt bröst. Hon stirrade på porträtten av de döda. Plockade upp dem ett i taget. Lade tillbaka dem och plockade sedan upp dem på nytt. Barnmorskan kunde inte veta att mamma en natt hade gått ut i köket och hämtat den stora saxen som farmor brukade använda för att stycka kycklingarna och öppna upp magen på fiskarna, och lagt den på sekretären. Sedan hade hon plockat upp ett av fotona och börjat klippa sönder det i pyttesmå strimlor som hon lät falla ner på sina fötter. Jag har aldrig fått veta vilket foto som hon, den gången, hade bestämt sig för att ta ut sin vrede på, men jag har alltid trott att det föreställde henne. Mammas allra djupaste hat hyste hon mot sig själv. Allt jag vet är att hon efter den där resoluta och minutiösa operationen städade upp på golvet, lade tillbaka de övriga sakerna i sekretären och gick tillbaka till sängen. Hon kröp ihop i ett hörn av madrassen och blev sedan liggande i den ställningen, som i en snäcka som var skapt för hennes kropp. Om jag hade kunnat skulle jag ha kramat om henne, men på den här tiden kände jag inte till den delen av kärleken. Jag kröp ihop på den andra sidan av sängen, bredvid Angelina som låg i mitten och sov rofyllt. Var och en av oss inuti vår egen snäcka, som två uppgivna, urlakade figurer.

Barnmorskans röst blev allt ihärdigare, och mamma gick fram till henne.

"Såpnejlika, lakritsrot … Ta för er, signora Sozzu, ta för er, för all del." Don Beppe höll upp glasburkar och behållare och visade dem för mamma, som avvärjande höll upp handen.

Barnmorskan såg sig omkring innan hon inledde sin berättelse. Hon knep besvärat ihop ögonen åt de gutturala ropen från bondlurkarna som drev på sina mulor. Sedan kastade hon en sned blick på don Beppe, som högröstat lovordade alla fantastiska fördelar med den ena eller den andra kryddan.

Specerihandlaren tystnade fogligt. Även den spensliga dottern anslöt sig: "Maka på dig", sa hon vresigt till Angelina, men min syster rörde sig inte ur fläcken. De granskade varandra som två katter med styva morrhår som står i begrepp att klösa varandra.

"Nå, ska du sätta igång, eller?" fnös en av kvinnorna, och då harklade sig barnmorskan och sa åt alla att komma närmare, för vid det här laget fanns det nyfikna ögon och öron överallt.

"Häromkvällen var jag hemma hos en kvinna för att förlösa henne", började hon. "En duglig kvinna som bor i gränden vid gården Corte dei Pappi."

En av grannfruarna tecknade åt henne att hoppa över onödiga detaljer, men den som kände barnmorskan väl visste hur omständliga hennes berättelser brukade vara.

"Hur som helst, för att fatta mig kort så pågick värkarna hela natten, utan att den lille parveln ville komma ut. Under tiden som den arma kvinnan svettades och kämpade, undrade jag flera gånger var hennes make höll hus, även om jag inte dristade mig till att fråga kvinnan rakt ut. Så jag slog mig ner på stolen och väntade på att naturen skulle göra sitt och den stackars kvinnan snart fick sätta sin son till världen. Jag har hjälpt barn att födas under många år och vet att naturen ibland har sin alldeles egna takt, så att saker och ting sker på rätt sätt."

Barnmorskan svävade återigen ut i detaljer och grannfrun var inte sen med att återkalla henne till ordningen genom att vifta med händerna, och barnmorskan återtog sin berättelse: "På morgonen kom kvinnans svågrar, som inte hade en tanke på smärtan och värkarna och genast frågade om man visste något nytt om maken; i det läget gick jag fram till dem och frågade om jag kunde hjälpa till. Männen hade lust att prata, så de tog mig åt sidan och berättade för mig att mannen hade råkat illa ut på grund av en sång."

"På grund av en sång?" frågade specerihandlaren, som nu hade övergett sina glaskärl eftersom barnmorskans berättelse verkade mer intressant.

"Tydligen finns det en sång som är vida spridd på landsbygden. *Vår ledare klarade inte av det, han lät oss inte mala säden hemma, vi tänkte ut en lösning på egen hand utan att han anade något alls, vi tänkte ut det på egen hand utan att han anade något alls.* Ge inte säden till Mussolini, fattar ni? Till ledaren! Göra revolt mot regimen! Bevare mig väl!" utbrast barnmorskan och gjorde korstecknet flera gånger.

"Men vad har sången med saken att göra?" frågade specerihandlaren.

"Jo, för Personès lakejer hörde honom där han gick och sjöng mitt ute bland fälten, och berättade det för baronen. Den där mannen är nära vän med fascisterna", sa hon, förde samman pekfingrarna och sänkte rösten så mycket hon kunde.

Angelina och jag såg på varandra och vände sedan blicken mot mamma, som bestört lyssnade på barnmorskans berättelse. Baronen var en stilig man som hade räddat oss från regimens sändebud. Och nu sa de att han var deras vän. De vuxna ljuger, tänkte jag. De kände honom inte tillräckligt väl.

"Hur som helst blev den arme mannen, innan han hann sluta sitt arbete för dagen, slagen gul och blå av baronens tjänare. Och de sa åt honom att om de kom på honom igen med att sjunga antifascistiska verser så skulle de skjuta honom. Som straff drog baronen av två månadslöner för honom. 'Nästa gång stoppar du upp tungan din där bak', sa en av tjänarna, spottade på honom och lämnade honom medvetslös och blåslagen på marken. Det är sannerligen illa ställt med oss", sammanfattade barnmorskan och vaggade med huvudet åt höger och vänster. "Baronen är en förkastlig människa", mumlade hon sedan och slog sig för bröstet.

"Arma söner ute i krig. Arma söner på landsbygden. Alla våra vägar leder till ett kors", kommenterade specerihandlaren.

Angelina förde munnen närmare mitt öra: "Jag tror inte på det där. Barnmorskan har hittat på alltihop."

Jag ryckte på axlarna, men nyheten om angreppet på bonden hade fått mig att rysa.

På kvällen, när vi hade kommit tillbaka hem, frågade jag mamma om hon trodde att det verkligen hade hänt. Jag frågade det med dämpad röst, för vid det laget var jag rädd att till och med väggarna hade öron. Hon, om någon, måste ju verkligen känna baronen väl. Hon klädde upp sig för honom, och han skänkte henne kassar fulla med alla tänkbara läckerheter. Hon skulle försvara honom, det var jag övertygad om.

Hon böjde sig ner mot mig och Angelina och strök oss över håret. Hon såg på oss, sedan tog hon in hela rummet med blicken. Jag föreställde mig att hon betraktade de flagnande väggarna, ärgen på kranarna som det inte längre kom så mycket som en vattendroppe ur, myrorna som marscherade på led över det spruckna golvet, de gamla dryckeskärlen i hallen, den trasiga sopkvasten intill ytterdörren. Baronen gav oss mat, men vi levde fortfarande omgivna av förfall. Och även utanför vårt hus var allt runtomkring oss numera präglat av förfall.

"Kom ihåg, Tere'", sa hon och fäste återigen blicken på oss, "att i den här världen finns det såväl ondska som godhet. Och när det här onda kriget är över kommer vi att sända alla människor som baronen till underjorden. Vi måste bara be att din pappa kommer tillbaka snart. Vi måste be, Tere'. Vi måste alltid be."

12

En morgon hörde vi en vissling utifrån gränden, ihållande och djup, som en nattfågels sång. Det var en dag i oktober 1945. Angelina lekte med trasdockan under bordet, mamma och jag satt vid köksfönstret och sydde. Mamma lade ner tygstycket i knäet och satt stilla och väntade på att höra visslingen på nytt. Under några sekunder var det knäpptyst, och tiden stannade upp för ett ögonblick. Det var bara i våra huvuden, tänkte jag, bara fantasi. Sedan bröts tystnaden igen.

"Hörde ni det också, flickor?"

Jag spratt till, för det där lätet – ett utdraget och gutturalt ljud – hade känts så välbekant även för mig. Mamma såg på oss igen. Hon ville verkligen tro att det var hennes makes kall.

Hur många gånger hade hon inte föreställt sig det? Hon hade fortsatt att regelbundet gå ut för att skaffa mat, för att besöka farfar Armando på kyrkogården, för att sköta om höns och kaniner, men under hela den tiden hade hon varit en annan människa.

Utan att säga något mer skyndade hon bort till tröskeln. Angelina och jag följde efter henne, och då fick jag syn på honom: utmärglad, spenslig, bara skinn och ben. Även om han såg ut som en annan man så var det han, min pappa. Jag tordes inte springa fram och krama honom. Han var smutsig och luktade illa, kläderna var utnötta. Hans mörka hy påminde om garvat läder.

Mamma lade händerna om hans ansikte men sa ingenting,

84

orden låg hopknycklade någonstans inom henne. Hon kysste honom i pannan, på kinderna, på ögonlocken, inte på munnen. I det ögonblicket var de mor och son. Sedan skyndade hon sig att hjälpa honom in i huset, med ett stöttande grepp om hans axlar, rädd att han skulle falla omkull.

"Hur långt har du gått för att komma hem? Vi har bett så mycket, flickorna och jag. Att du skulle komma tillbaka, Nardi', att det onda kriget skulle ta slut."

"Jag har gått långt, Cateri', oändligt långt."

Han slog sig ner vid köksbordet och gned sig över knäna och vaderna.

"Jag kommer från Tyskland, Cateri'. Jag vet inte ens hur många kilometer det är."

"Räknade du dem inte, pappa?" frågade jag, en aning förskrämd.

Jag visste ingenting om den mannen längre. Av pappa mindes jag den välansade mustaschen, det pomaderade och bakåtkammade håret som lämnade plats åt en hög panna. Byxorna som fladdrade kring hans ben eftersom de var för vida vid anklarna. De glittrande ögonen. När jag nu hade honom framför mig visste jag inte vem han var. Jag hade velat säga till honom att jag hade kommit till dag åttahundrasextiosju, sedan hade jag slutat räkna eftersom det hade blivit för svårt, även om jag under tiden hade blivit bättre på matematik. Angelina, för sin del, var bra på ord.

Mamma drog oss till sig och kramade oss hårt. Numera var jag lika lång som hon, nästan en fullvuxen kvinna, och min syster hade bara några centimeter kvar tills hon var ikapp oss. Vi grät tillsammans. Vi var kvinnor alla tre, men i den stunden kände vi oss oändligt små inför miraklet att han hade dykt upp på tröskeln, urlakad och nästan död, men alldeles intill oss.

Hans återvändo betydde att allt, precis allt, kunde börja om på nytt.

Pappa satte igång att berätta om livet som han hade levt under de senaste åren, men han gjorde det med den jargong som han blivit mest bekant med, och uppehöll sig vid hungern och umbärandena, vid hur bittert det var att tvingas äta potatisskal och att göra sig kvitt huvudlössen genom att mosa dem mellan fingertopparna. Mamma lyssnade och skrattade, fastän det inte fanns mycket att skratta åt i hans berättelser. Jag kunde se det nya ljuset i hennes ögon. Hon var pånyttfödd, hon var återigen hon.

"Fortsätt, Nardi', fortsätt", manade hon på honom. För ju mer han pratade, desto mer återfick hans röst de toner som för oss var välbekanta.

Hon fyllde tvättkaret med varmt vatten; han var så mager att han, om han kröp ihop, skulle rymmas i den. Jag mindes honom som stor och stark, nu var han en liten hög av ben utan kraft. Mamma drog för draperiet medan han klädde av sig.

Pappa fortsatte prata, berättade om kamraterna som han hade lämnat kvar och andra som hade återvänt hem. Det fanns varken bomber eller gevär i hans historier. Den här ensamme mannen som hade flytt från en ödelagd plats berättade för mamma om löftet som han hade avlagt många år tidigare, om deras kärlek som måste börja om från den exakta punkt där den hade satts på paus. "Jag gav mig aldrig iväg, Cateri', jag har varit här hos dig hela tiden."

Hon, i sin tur, lovade att nu när han var tillbaka skulle han aldrig mer behöva utstå vare sig hunger eller kyla. Och när hon i det ögonblicket betraktade hans kropp såg hon olivträdens knotiga stammar, det där hårda trädet som sticker ner sina rötter i den steniga marken. Även jag ser honom så. Min pappa. Jag liknade honom. Våra ögon liknade varandra, vår hud. De stora händerna och de späda fötterna. Jag såg honom framför mig medan mamma kärleksfullt tvättade hans rygg, smekte hans sår, skrubbade honom ren från blod och smuts. Vem är du, vem är jag. Du är min far, jag är din dotter. Det är ett mirakel att du är tillbaka. Berätta din historia för mig, jag vill lyssna till dig. Jag vet att du som barn tyckte om stjärnorna. Jag har känt dig.

Och om jag koncentrerade mig på hans röst, på andra sidan tiden, saktade mitt hjärta in och allt tycktes ställas till rätta igen. Blodet började på nytt pulsera i mina ådror.

Han levde. Även jag levde.

VINDENS BLOMMOR

1

I natt drömde jag en dröm. Jag såg öppna fält, det höga gräset kittlade mina vader och nattens fina dagg, som gjorde det fuktigt, blötte ner jorden och träden så att mina skor var kalla och mina kläder genomvåta. Jag drömde om morgondiset som reste sig som ett vitt skum och utraderade konturerna på saker och ting, och omdanade allt. På samma sätt som när en skugga sugs upp av ett ljussken, försvann också bilderna från drömmen helt plötsligt, upplösta av ett skoningslöst ljus som följde mitt uppvaknande.

"Jag var i Copertino", mumlade jag, och slöt ögonen igen.

Jag såg framför mig grässtråna, de ojämna raderna av popplar längs kyrkogårdens allé. Trollsländorna som svepte förbi mig med sina metallicblå skrudar. Och humlorna som trasslade in sig i Angelina kolsvarta hårburr. Drömmen och brottstycken av verkligheten flöt samman till en kall, konturlös hybrid.

Angelina. Jag uttalade tyst hennes namn.

Jag kunde nästan känna doften av henne. Den yrde runt i den tjocka lukten av cigarettrök som mitt sovrum var genompyrt av. En doft av lavendel och ängsblommor.

Hur många år har egentligen förflutit, Angelina? Hur intensivt älskade jag dig? Om grannfruarna hade försökt beskriva oss som barn, skulle jag ha varit den svårbegripliga, tystlåtna, undflyende, den som stod vid sidan av och betraktade. Och du då? Du, Angelina, skulle ha varit solen.

Under de outhärdliga dagarna städade mamma i köket, tvättade sitt ansikte och sina händer. Hon strök ett lager hudkräm på kinderna och läppglans på munnen. Sedan fixade hon i ordning håret, insvept i ett svart skynke för att undvika att hårstråna som föll av fastnade i tjocktröjans täta väv. Hon använde en spegel för att granska frisyren ur alla vinklar. Sedan lade hon in alla skönhetsverktyg i det lilla väggskåpet i badrummet och gick och satte sig i hallen, intill fönstret, och väntade. Jag har alltid tänkt att hon innerst inne fortfarande hoppades att du skulle dyka upp ur den mörka gränden. Förr eller senare. I det här livet eller i nästa. Inte ens häxan hade kunnat rädda henne från den svarta avgrund som hon hade störtat ner i.

Minns du, mamma, när pappa tvingade dig att besöka sierskan?

Hon hade bett Angelina stanna hemma med farmor Assunta, för hon var för liten för att bevittna trollkonsterna som häxan ägnade sig åt, men mig ville hon ha hos sig.

Sedan den dagen då pappa kom tillbaka från kriget hade han på nytt börjat älska allt hos min mamma: den rena hyn, det rödbruna skimret i hennes hår, de lena, bruna ögonen, men han plågades av känslan att hon inte längre var densamma, att hon dolde en hemlighet för honom.

Jag iakttog henne ibland medan hon plockade upp det vanliga fotot från skänken och kramade det i händerna. Korta och obegripliga ord kom över hennes läppar, som om själva dagerrotypen som föreställde dem båda tillsammans kunde uttala den fasansfulla sanning som hon dolde. När hon ställde tillbaka fotot såg jag henne sätta sig utmattad på sängen och rätta till lockarna och underklänningen som hade snott sig under bysten. Då och då klev även pappa in i det där livlösa porträttet. Han fann henne sittande därinne halvnaken och beundrade henne. Jag såg åtrån i hans blick och på hans läppar, den fick musklerna i hans armar att darra. Jag kunde vädra den, känna lukten av den. Men sedan, som om han greps av en demonisk iver, gick han fram till henne, tog tag om hennes axlar och ruskade henne. I de ögonblicken förlorade allt – stolen, nattduksbordet, klinkern, ikonerna som hängde på väggarna – sina exakta konturer och det blev suddigt för min blick.

"Cateri"', hörde jag honom skrika, "Cateri." Om och om igen, ända tills självaste luften mättades med hans ilska. Då mjuknade hans grepp. Hennes tystnad segrade än en gång. Jag har aldrig blivit kvitt min vana att iaktta henne i smyg. Så länge jag kunde spionerade jag på min mamma. Jag ville luska reda på hennes svagheter och hennes allra innersta hemligheter. Jag ville känna mig delaktig i tumultet som hon hade inombords.

När vi mötte häxan som stod i dörröppningen och väntade på oss, blev mammas ansikte djuprött och såg ut att kunna fatta eld i vilket ögonblick som helst. Det var första gången jag satte min fot hemma hos häxan, som bebodde skogarna precis som varelserna i gamlingarnas berättelser. Jag var övertygad om att hon kunde sätta eld på saker med blotta blicken, flyga på kvastar och suga ut själen ur människor bara genom att spänna ögonen i dem. Hennes hus var gammalt och grått. Till höger inne på en liten gård som vette mot skogen fanns en droppande gårdspump. En liten bit bort, fruktbärande kvittenträd och ett skuggigt hörn där det växte hortensior och björnbärsbuskar. Stenläggningen var täckt av hönsskit och hundbajs. De flagnande väggarna utstrålade ett dystert vemod som fick mitt blod att frysa till is.

Häxan bad oss stiga in, och under flera minuter gjorde hon inte annat än irrade omkring; hon höll brasan vid liv fastän det var varmt, ställde ner de smutsiga kopparna i diskhon och gungade med huvudet varje gång pappa kallade på henne.

"Nå, häxan? Ska vi utföra den här ritualen eller inte?"

Och hennes huvud vickade åt höger.

"Häxan?"

Och hennes huvud vickade åt vänster.

Då plockade pappa fram kapunen och äggen. Det var gåvan till häxan, som betalning för hennes tjänster. Och innan det hittade den rätta riktningen att röra sig i, tycktes häxans huvud ha glömt bort skälet till att vi var där. Jag stod tyst och såg mig omkring. Sotet ovanför den öppna spisen som hade svärtat ner väggarna. Golvet som hade spruckit på flera ställen. En trasig kastrull på bordet. Gamla dryckeskärl och sopborstar som stod uppställda mot väggen i hallen. Häxan fortsatte sitt gåtfulla vankande genom rummet. Det var först i det ögonblicket som jag noterade att hon hade ett grönt öga och ett brunt. Jag hade sett henne massor av gånger utan att någonsin lägga märke till det. Den besynnerligheten gjorde mig som hypnotiserad. Hon var en häxa. Hon kom från en annan värld. Även hon blev till glödande kol, som djävulen när han antar kvinnoskepnad. Vid närmare eftertanke var hon kanske djävulen själv. Så jag började räkna.

Ett, två, tre.

Den där uppmätta världen, talen som följde en bestämd ordning: ingenting kunde överskrida gränserna, allt hade fasta konturer. Talen fick mig att känna mig trygg.

Ett, två, tre.

Det urmodiga möblemanget. Det inrökta lilla köket, de få stolarna runt bordet. Den jordfärgade klinkern. Allt framstod som mindre främmande. Det var dystert och urblekt, slitet precis som den gamla häxan, men det hörde på nytt till den där världen. Vår värld.

"Sätt er ner", sa hon till slut. Hennes huvud slutade vagga hit och dit.

Hon plockade upp en kortlek ur bordslådan, stirrade länge på den och höll den sedan mot bröstet.

Mamma såg ängsligt på henne.

"Ta ett kort", beordrade hon pappa.

Hon höll fram korten som en solfjäder framför oss och väntade tills pappas hand bara lätt hade snuddat vid ett av dem.

"Är ni säker?"

Han nickade.

Då vände häxan på korten och lade ut dem på bordet. De liknade inga av de kort som jag hade sett tidigare. På ett av dem fanns en man som hängde uppochner med två skinnsäckar i händerna; ett annat föreställde en kejsare; på ännu ett annat avbildades döden med ett rött skynke, och så djävulen med mansansikte, horn och stora kvinnobröst.

Mamma såg skräckslaget på de underliga symbolerna och gjorde korstecknet flera gånger.

"Du kan vara lugn, Cateri', korten gör en inget ont. De säger bara sanningen."

Men det var just sanningen som mamma var mest rädd för.

"Ser ni, Nardino, ni valde eremiten."

Häxan lyfte upp kortet som pappa hade dragit och visade det för oss. En gammal skäggig man iklädd en lång tunika vandrade stödd på en käpp medan han lyste upp vägen framför sig med en lykta.

"Ni söker efter vishet, Nardi'. Ni vill att någon lyser upp vägen för er. Känner ni till sanningen?"

Pappa såg mamma rakt i ögonen.

Det var den han sökte. Sanningen. Varför var hans hustrus

ögon inte längre desamma sedan han kom tillbaka från det onda kriget?

"Nej", sa han torrt och smackade med tungan mot gommen, "det är därför jag är här. För att få veta sanningen."

"Då så, ta upp ett nytt kort."

Häxan samlade ihop kortleken, blandade den, lät mig dela den på mitten och vände den med baksidan upp så att pappa kunde dra ett nytt kort.

Jag såg på mamma. Hon satt och bet sig i underläppen, och en lätt darrning hade lagt beslag på hennes vackra ögon.

"Visa det för oss nu."

En naken ung kvinna satt böjd över en flod och hällde ut vatten ur två kannor. Sju glimrande stjärnor lyste upp allt runtomkring henne.

"Det här är stjärnornas kort", sa häxan och ett svagt leende krusade hennes läppar. "Men ser ni att det är uppochnedvänt?"

"Och det betyder olycka?" frågade pappa.

"Olycka är vad ni kallar det, ni som ser det onda i allt." Sedan gjorde hon korstecknet på mammas panna. "Knäpp nu upp din blus, Cateri."

"Hur sa?"

"Flickan får blunda, så knäpper du upp blusen."

Mamma förstod att häxan menade vad hon sa, tog mod till sig och lydde. Jag täckte för ögonen med ena handen, men jag var van vid att tjuvkika och gjorde det även vid det här tillfället. Pappa såg sin hustru knäppa upp blusen och blotta sin kritvita och runda byst för den gamla häxan, som även hon betraktade mamma. Hennes gröna öga tycktes skifta nyans och bli gråblått, nästan som om den gamla gummans ansikte höll på att förvandlas. En del av mig ville fly därifrån, medan en annan del av mig ville sitta kvar på den där rangliga stolen och granska häxans djävulslika ögon. Kanske kunde hon se alla osynliga spår på min mammas kropp. Baronens händer som drog av henne kläderna och grep tag i hennes kött medan han insöp doften av det.

"Nu kan du klä på dig igen", beordrade hon mamma. Häxans ögon hade slocknat och såg trötta ut. "Er hustru är syndfri, Nardi". Ni behöver inte vara rädd. Det finns ingen sanning att uppdaga."

Mamma föll ner på knä och kysste sina fingrar, och lade dem sedan mot häxans anklar. Hon grät, och de lätta tårarna landade på den gamla gummans fötter.

"Gråt inte, Cateri', du framstår som den heliga jungfrun", viskade häxan, sedan böjde hon sig ner mot mamma och tog hennes haka i sina händer. "När jungfru Maria kysste Kristus fötter föll det bloddroppar från dem. Ur de heliga dropparna föddes anemonerna, vindens blommor. För efter blodet kommer livet. Efter smärtan kommer hoppet. Släpp nu taget om smärtan, Cateri', och återgå till hoppet."

Mamma torkade tårarna och tog pappas arm. Häxan hade än en gång sett allt, precis som när det gällde Lollinas framtida make.

Det finns en silkestråd som binder samman den här världen med den där andra. I vissa stunder är det den övre världen som blir allt skörare, som en hinna som är på väg att spricka. I andra stunder, när den undre världen ter sig obegriplig, kommer den övre till dess undsättning. Silkestråden blir kortare, ända tills den försvinner helt och hållet.

2

Den var sent på våren 1949. Min syster var bara sexton år gammal,
men hon hade förvandlats så som barnen i sagorna blir stora över
en natt. För henne hade det räckt med en vinter för att miraklet
skulle ske. Hon hade blivit kvinna, mjuk och tilltalande, med en vild
och sensuell framtoning och breda höfter. En varelse som föreföll
lika fulländad som den oorganiska materian. Även jag var kvinna,
men det kändes som om jag levde i hennes skugga. Fälten i Arneo
blommade och man kunde se med blotta ögat hur de vaknade till
liv. Det var första gången pappa lät oss gå till en av de provisoriska
dansbanorna som ställdes i ordning i husens källarplan, men det
här var ett speciellt tillfälle, nämligen Lollinas förlovningsfest. Det
faktum att hennes blivande make var svart hade inte väckt någon
särskild uppståndelse hemma hos oss. När allt kommer omkring
var ju sierskan en häxa. Hennes familj hade burit på den där gåvan
– eller förbannelsen – i flera generationer. De gamla kvinnorna på
orten hävdade att hennes mormor till och med hade sett sin egen
död i en dröm; hon hade tömt garderoberna och lagt undan sina
kläder, och enbart burit dem som hon ville ha på sig när hon tog
farväl av den där världen, och efter att ha tänt fyra vaxljus runt
sängen hade hon sträckt ut sig på det finaste lapptäcke som hennes
händer någonsin hade virkat. "Nu kan ni komma och ta farväl av
mig", hade hon sagt. Hon dog samma natt.

Den enda som inte hade svalt häxans ord var Nenenna. Den

unge mannen var förresten ingen amerikansk soldat, som alla kvinnor hade låtit påskina – för det var något som till och med hade kunnat skänka stolthet – utan sonen till en utvandrare från Nardò som hade återvänt från Amerika tillsammans med en mörkhyad hustru och den där sonen som hade skimrande, len hud och ögon som svarta oliver.

"Från Amerika?" hade Nenenna utbrustit när Lollina presenterade honom för henne. "Men vadå Amerika, den här ynglingen ser snarare ut att komma från Afrika."

För den unge mannen som bar sin farfars namn, Vincenzo, och som hans mamma kärleksfullt kallade Vincent, ståtade med ett praktfullt, krulligt hårburr och hade en stor och platt näsa.

"Men är du säker på att du tycker om honom?" hade hon frågat sin dotter med tårar i ögonen. Aldrig förr hade hennes röst låtit så ömsint.

"Ja, mamma, jag tycker om honom." Dotterns svar hade varit kort och entydigt.

Inget kunde såra henne mer än skvallertackorna som kallade henne "nucka"; de giftigaste av dem insinuerade till och med att hon förde otur med sig och fick alla män som försökte närma sig henne att drabbas av onda ögat. Hon var inte ful, men motgångarna hade förföljt henne ända sedan hon som liten drabbats av en elak infektion; efter det hade hon inte längre varit densamma. Medan hennes högra ben hade vuxit sig starkt hade det vänstra tagit en alldeles egen väg, som sådana där bräckliga ympkvistar som minsta vindpust får att knäckas i två delar. Lollina hade blivit kvar på jorden bara för att insjukna var och varannan dag, likväl hade hon överlevt, med ett ben som var kortare än det andra och spensligt som en torr kvist, en tunn överkropp och klena axlar. Det som räddade henne var ögonen, som var stora och mjuka, och ett skratt som alla tyckte om: det började som ett dovt *hi hi*, som de första dropparna av ett sommarregn, för att sedan explodera i ett högljutt muller.

När hon nu skulle stå brud hade hon bjudit även skvallertackorna till sin förlovningsfest. Till och med häxan, som spådde allas liv i kaffesumpen.

Hennes trolovade infann sig till festen med renrakat huvud, en vit skjorta med nött krage under en alldeles för stor grå kavaj, filtbyxor och sjaviga skor.

"Gode Gud!" utbrast fästmön. "Men vad har du gjort med dina fina, tjocka lockar?"

Den unge mannen – som för ortsborna var "den svedde" på grund av hans kolsvarta hud – strök sig belåtet över det snaggade huvudet. Han hade fått nog av att hånas för de feminina lockarna som han fram till dess hade visat upp med sådan stolthet.

Lollina, däremot, började slå sina nävar mot hans bröst. Hon hade klätt sig till fest, tuperat håret så att det såg ut som på en docka och satt på sig en klänning med en strimma av paljetter som prydde rundkragen. Nenenna hade skrutit för alla om hur vacker hennes dotter skulle vara på dagen för sin officiella förlovning. "Och det spelar ingen roll att Den svedde är svart som choklad, han är en fin pojke, en bra och arbetsam ung man."

När hon nu såg honom i det där ovårdade skicket, det rakade huvudet som var slätt som rumpan på ett nyfött barn, fick hon tårar i ögonen. "Svart som skit", fnös hon tyst inför mig och mamma. "Knappast som choklad."

Med den prosaiska uppsyn som gjorde somliga av ortens kvinnor immuna mot ödets alla motgångar, tog hon sin dotter under armen för att gå och hälsa på släktingar och vänner som hade samlats i deras källare för det festliga tillfället. Fastän det rörde sig om en nedgången suterrängvåning i ett nedgånget hus, hade Nenenna slagit knut på sig själv för att göra lokalen så praktfull som möjligt. En hel radda stolar var placerade i en cirkel i mitten av rummet, vars tak var pyntat med blomdekorationer som Lollina egenhändigt hade knåpat ihop. Nenenna hade bett en släkting till sin avlidne make att ta med sig en skinande blank grammofon. Musikens toner fick samtalen och spänningen att lossna, och snart var det ingen som längre brydde sig om Den sveddes snaggade huvud.

Men den vackraste av dem alla var Angelina. Hon var klädd i en rosa klänning med puffärmar, insvängd midja och en lätt urringning i ryggen.

"Du visar för mycket hud", hade pappa muttrat när han såg henne dyka upp från andra sidan draperiet som skilde köket från madrasserna.

Min syster och jag hade klätt på oss framför spegeln i skänken. Vi var båda kvinnor nu men jag hade förblivit tunn som en sticka, utdragen på längden som en nordisk skönhet.

"Sätt på dig de här." Angelina hade tryckt några bomullstussar i händerna på mig och rört vid sina fylliga bröst. Mina var fortfarande små. Två stenhårda kvittenäpplen. Jag stoppade in bomullstussarna i klänningens urringning och lade dem noggrant på plats.

"Nu ser du ut precis som Rita Hayworth", sa hon och kramade mig om midjan.

Min syster var svag för de amerikanska skådespelerskorna. När filmer från andra sidan Atlanten visades i kapellet satt hon och jag på första raden. Angelinas ögon lyste upp när hon såg Judy Garland, Lana Turner, Bette Davis. Hon ville vara som de. Leva deras liv.

"Och du ser ut som bondhustrun Lucrezia", sa jag till henne, "den förtjusande Luisa Ferida." Hon som hade fått varenda man i Copertino att tappa sansen.

Och det var precis den effekten Angelina nu hade på männen som hade samlats i Nenennas danslokal. Man kunde riktigt se hur de trånade efter henne. De frimodigaste av dem tog sig för bröstet när de var säkra på att pappa inte såg dem. Angelina log och undvek de där blickarna medan hon fladdrade förföriskt med ögonfransarna. Hon hade försonats med alla helgon och feer i världen. Hon njöt av sin egen uppenbarelse och djupt inne i hennes ögon lyste en mängd små strålande ljus.

Grannfruarna som satt i ring på stolarna iakttog henne och muttrade lågmält. Förbannelserna som de hade uttalat över mamma vräkte de nu ur sig mot hennes dotter. Skönheten märkte dem båda likt ett outplånligt ärr, men på den här tiden kunde min syster inte veta det. Hon var naivt övertygad om att ungdomens berusning kunde låta henne undkomma alla jordelivets motgångar.

Lollina och hennes svarte fästman dansade i mitten av lokalen. Och så män tillsammans med män och kvinnor tillsammans med kvinnor. Lollina och Den svedde var där för att befästa att en man och en kvinna faktiskt kunde vara nära varandra utan att en av dem fattade eld. Mamma dansade med barnmorskan Giulietta, och till och med häxan hade tagit plats i mitten av rummet med ett hårt grepp om armen på en av fästmöns kusiner, en storvuxen kvinna som stod stadigt på jorden med en jättelik bak och enorma bröst.

Jag vände mig om och sökte efter pappa. Dagen till ära hade han pomaderat mustaschen och kammat håret i en lång mittbena som gjorde honom tilldragande och elegant. Jag slogs av den absurda tanken att han liknade baron Personè, som det var längesedan jag såg gå runt i kvarterets gränder och pråla med sina tjusiga skor. Kanske hade han stängt in sig i sitt hus av spunnet socker, och därifrån drog han i trådarna som höll var och en av oss oupplösligt bunden till sitt öde.

Jag fick syn på pappa ute i den mörka entrén där han stod tillsammans med en grupp andra män. Medan de pratade blåste de ut rökringar med ansiktet vänt mot himlen, som för att följa strimman som cigaretten lämnade efter sig. Jag gick fram till dörrposten för att betrakta dem närmare. Varje gång som pappa sa något svarade någon av de andra med ett "öh"; när någon annan tog ordet var det i stället pappa som svarade med ett ljudligt "öh". Jag visste att det var underliga tider för dem som arbetade ute på åkrarna. Att bönderna hade fått för sig att de, utan att be om lov, kunde odla upp vartenda obrukat stycke jord som tillhörde familjen Personè och markis Tamborrino. Gräsmarker bevuxna med malva, ogenomträngliga häckar av kermesek och, bortanför dem, inget annat än solsvedda fält, röd jord och förbannade törnesnår. Baronerna och markiserna betraktade de där övergivna hedarna som jaktmark, men för sådana som min pappa var det terräng att göra bördig, björnbärsbuskar att bearbeta med hacka, lera att omvandla till skott. När pappa berättade om de här idéerna för mamma suckade hon uppgivet. Hon blev med ens dyster och gav sig i kast med hushållsbestyr, plötsligt ivrig att diska tallrikar och glas. "Ränderna går aldrig ur", fastslog hon till slut.

Och han svarade med ett monotont flöde av gutturala ljud som var upptakten till ett vredesutbrott.

"Du förstår inte, Cateri'!" gastade han, efter att ha fått ilskan att explodera i en symfoni av läten. "De där typerna suger själen ur oss och vi lämnas att svälta ihjäl."

En gång drog han en historia om myror och kvittenträd, och sa att livets hemlighet var att tyda tecknen som det placerar ut på ens färdväg. Det var nämligen precis vad myrorna gjorde när de klättrade uppför kvittenträdets stam: de påvisade att parasiter hade slagit sig ner däruppe, precis där de nya skotten växte.

Mitt bland det spirande livet dolde sig döden. Trädet som såg så friskt och frodigt ut var i själva verket infekterat, drabbat av en smittsam sjukdom som skulle förtära det, precis så som världen gjorde med dem.

"Vi måste förstå varningstecknen, Cateri', och det här är varningstecknen", avslutade han sitt resonemang.

Mamma svarade inte längre på det där dunkla pratet. Hon var en enkel kvinna, och när pappa förlorade sig i ordvindlingar som hon ansåg alltför invecklade, klarade hon inte längre att följa honom. För henne var allt antingen svart eller vitt. Det vita var baronerna och markiserna, det svarta var alla andra. Därmed slöt hon sig i en kompakt tystnad. Hon snörpte ihop munnen och fortsatte leva sitt liv så som hon alltid hade gjort.

Det där pratet fick dock något att krusa sig under den skenbart lugna ytan; det tvingade mamma att lägga ihop och dra ifrån ord, resonemang, absurda belopp som hon betraktade som utom räckhåll. När pappa gav sig ut på åkern stannade hon ibland upp och iakttog den solkiga fållen på sin klänning, de grådaskiga vecken mellan kjolens volanger, de trasiga och urblekta sandalerna, som nedslagen av en gränslös tröstlöshet. Jag såg henne gå bort till byrån och plocka fram hattnålarna som hade hållit hennes brudslöja på plats. Det var hennes mamma som hade gett dem till henne, min mormor som jag aldrig hade träffat. Hon stirrade länge på de pärlemorfärgade nålhuvudena, vände och vred på dem mellan fingrarna. Det var som om hon behövde se något vackert mitt bland all fulhet. Under hela mitt liv har jag undrat om hon någonsin saknade känslan av baronens händer på sin kropp.

"Varför står du här och tittar på din far?"

Mammas röst överrumplade mig. Hon såg på mig med drömsk blick. Det syntes att hon var lycklig. Hennes ögon glittrade, och det svettiga håret såg ut som krusigt björnbärsris som klistrade sig mot hennes ansikte.

"Du vet ju att de inte pratar om annat än jord. Bla bla bla. Bara en massa snack. Kom nu, Lollina ska just skära upp tårtan."

Hon tog min hand och ledde mig till bordet, där en tårta i tre lager tronade. Lollinas ögon lyste och Vincent tog emot applåderna och lyckönskningarna som ett vilset barn som är ovant vid så mycket välvilja. Det var då vi hörde det. Gnisslet av inbromsande kärror och ett utdraget *ihhhh*. Strax därefter dök två mörka gestalter upp ur trappans dunkel. De tycktes träda ut ur en annan epok, och deras bistra flin fick mig att tänka på banditerna i Torre del Cardo.

"Vad vill ni?" frågade Nenenna ängsligt. "Vem har sänt er?"

"Vem som har sänt oss har ni inte med att göra."

Alla stannade upp. Pappa och de andra männen gick fram till de skumma figurerna. "Vad vill ni? Vem har sänt er?" frågade även de.

"Vem som har sänt oss har ni inte med att göra. Den här unge mannen, det här kräket", sa de och pekade på Vincent, "har tagit sig rätten att stjäla från baronens åkrar."

Den svedde försökte dra in huvudet mellan axlarna. Han ville bli osynlig. Lollina började försvara honom, bedyrade och svor på och att hennes fästman inte gjorde den sortens saker, men Vincents ansiktsuttryck sa motsatsen.

"Och nu ska han följa med oss till baron Personè. Han måste stå till svars för vad han har gjort."

"Den här unge mannen ska ingenstans", inföll pappa. "Det här är hans förlovningsfest. Han har all tid i världen att reda ut det här med baronen."

Den vresige typen gick fram till pappa. Han hade ett tovigt och silverstrimmigt skägg och ögon som en varg.

"Ni gör klokt i att kliva åt sidan, Sozzu, eller också blir det konsekvenser även för er."

Nenenna ingrep för att undvika att situationen förvärrades. Hon tog tag i pappas arm och skakade på huvudet för att säga åt honom att inte lägga sig i.

"Svartingen får inte mer än han förtjänar. Om han inte har gjort något så är han fri att återgå till sin förlovningsfest." Den vresige typen strök med pekfingret över tårtan, fiskade upp en klick grädde och slickade långsamt i sig den.

Lollina klamrade sig fast vid sin blivande makes arm. Han var det enda hon hade för att basunera ut att hon hade en chans att bli lycklig, att saker och ting kunde sluta väl även för henne.

Den svedde fördes bort på en kärra som drogs av två blänkande svarta hästar.

"Det där är hästarna som för en till helvetet", fastslog häxan.

Vi trängde ihop oss på tröskeln för att bevittna scenen. En hård vind hade börjat blåsa. Världen blev kall och kvinnorna drog sina caper om sig.

"Kräk", mumlade någon.

"Fähundar", kommenterade andra.

"Festen är förstörd. Min arma dotter", sa Nenenna uppgivet.

"Jag sa ju att hon hade det onda ögat", kommenterade häxan. Hon som kunde se och veta allt, som kände till var och ens hemligheter; gud vet om hon redan hade förespått det som sedan skulle ske, om hon med sin översinnliga syn hade sett att det skulle bli hennes sista kväll på jorden.

3

Det var Baggen som först kom med nyheten. Han höll ofta till i skogarna, utan rädsla för att stöta på banditerna. Det ryktades att han träffade vissa vänner därute, andra kommunister som han, och att syftet med sammankomsterna var att smida planer om en riktig revolution som skulle röja sådana som baronen ur vägen.

Det inträffade mitt på förmiddagen. Han var på väg förbi häxans hus när han överrumplades av en stark doft av rökelse. Han blev nyfiken och gick fram till fönstret för att luska reda på vilken sorts trollkonster den gamla gumman var inbegripen i, och fick se henne ligga utsträckt på sängen med händerna knäppta ovanpå magen, pyntad med alla sina smycken som – det fick vi veta senare – hon inte hade tagit av sig sedan kvällen innan.

Nyheten spred sig som en löpeld genom Copertino och nådde även de närliggande byarna. Fader Geremia skyndade sig att ordna för begravningen. Någon skvallrade om hans rädsla för att häxans själ skulle börja irra omkring i skogarna och riskera att bli fången där, utan en värdig jordfästning, som häxorna vars svarta vålnader svirrade bland träden om natten. Farmor Assunta tände ett vaxljus för den döda och bad ända fram till lunch att häxans själ skulle upptas bland de andra själarna i paradiset. För även om häxan några gånger hade kastat det onda ögat på en och annan stackare, hade hon när allt kom omkring också hjälpt människor, däribland många kvinnor att föda barn, och hon hade gjort det bättre än

barnmorskan som hade sänt många i döden med sitt persiljeex-
trakt, och alltså var mer mörderska än häxan.

Hon begravdes lika pyntad som statyn av jungfru Maria var på
dagen för processionen. Kvinnorna fällde ömma tårar för henne,
slog sig för bröstet och kände sig vilsna, för nu skulle de bli tvungna
att ta livet så som det kom, utan att någon längre förutspådde fram-
tiden för dem, hur lycklig eller eländig den än var.

En vecka senare anlände en ung man som påstod sig vara häxans
systerson. Det första stället han besökte var don Beppes handels-
bod, eftersom han föreställde sig att hans moster måste ha varit
en flitig kund i den där butiken full av runda flaskor och pulver
som föreföll magiska. Specerihandlarens sjukliga dotter gick ge-
nom gränderna och förkunnade med sin gälla röst att en bra man
hade anlänt till Copertino, en ung man vars blick inte hade ett uns
av hans häxmosters högdragenhet och kärvhet; tvärtom var han
skön som solen, med mandelformade ögon precis som männen
som kom från flottan och som skådespelarna som fick alla ortens
tjejer att drömma – om än bara bakom hemmets lyckta dörrar.
Don Beppes dotter hade vuxit upp till en ung kvinna men förblivit
mager som en sticka, med knotigt bröst och spetsiga revben som
putade ut under kläderna. Det var dock välkänt i grannskapet att
hon drev sin far till vansinne när hon, medan de var på marknaden,
lämnade kryddståndet för att gå och kokettera med männen som
sålde vaddtäcken, svassa runt klungorna av ynglingar som satt och
spelade kort och drack vin eller flirta med inkastarna som vandrade
omkring mellan salustånden och sålde lakritsrot och Marseilletvål.
Kanske fick hon nys om allt som hände före alla andra på grund av
sin vana att ständigt släntra omkring, och innan hon lät nyheterna
sprida sig från gränd till gränd kryddade hon dem med lite fantasi,

för att tillfredsställa den hunger efter skandaler som kännetecknade henne.

"Det är för att hon har vuxit upp utan mor", sa några av grannfruarna. Specerihandlaren hade nämligen blivit änkling när dottern fortfarande var liten, och därför hade man överseende med hennes tvära kynne och giftiga tunga. Alla förlät henne utom Angelina, som hyste ett verkligt förakt mot henne. Specerihandlardotterns talang för att snappa upp nyheter hade gett henne smeknamnet "kulsprutan". Varje liten struntsak som hade med orten att göra nådde genast hennes öron och spottades sedan ut som elden ur en kulspruta.

Följaktligen sa hon till alla att den unge mannen, häxans systerson, hade kommit till Copertino med en kärra som man hade skymtat i kyrkogårdsallén och som var lastad med sovrumsmöbler: ett klädskåp, en madrass, en byrå, en sekretär och ett enda nattduksbord i brunt, blankt trä med snidade lövmönster. Kärran, tätt följd av hundar som skällde på varenda förbipasserande och som tycktes eskortera den unge mannens flyttlass, hade vinglande rullat fram till specerihandlarens bod.

Don Beppe hade kliat sig i nacken och sett sig omkring, i hopp om att få syn på någon som kunde hjälpa honom att reda ut den besvärliga belägenheten. För hur skulle man kunna lita på en yngling som man aldrig förr hade sett i trakten? Häxan hade aldrig nämnt några syskonbarn. "Kan jag vara säker på att det ni säger till mig är sant?" hade han villrådigt frågat.

För att bevisa att han hade hederliga avsikter vecklade den unge mannen upp ett brev som han hade fått av sin moster ett par veckor tidigare. Den gamla kvinnan skrev att hennes nedgångna hus snart skulle stå tomt och att hon – medveten om att han levde i den djupaste misär – skulle bli glad om han ville överta det.

Specerihandlaren läste brevet två gånger medan han lät fingret följa häxans osäkra handstil. Bokstäverna, sa kulsprutan, såg ut att vara skrivna av en darrig hand som hakade upp sig på varje snirkel, ansatt av stelhet och skakningar. Ingen kunde ens föreställa sig att häxan kunnat skriva.

"Tja", sa don Beppe slutligen, "det här brevet verkar äkta. Men hur kunde hon veta att huset skulle bli tomt?"

Den unge mannen spände sina vackra ljusa ögon i specerihandlaren och vände sedan blicken mot hans dotter: "Det är väl uppenbart, signore. Min moster var en häxa och vissa saker kände hon på sig. Det som gör mig ledsen är att jag kom försent, att hon redan är död. Sist jag träffade henne var jag väldigt liten."

"Och varifrån kommer ni?" frågade don Beppe och kastade ett sista öga på brevet.

Då berättade den unge mannen om sitt hus i Sassi di Matera. Ett kyffe som var nedsvärtat av sot, inklämt bland de andra bostäderna i tuffsten som trängdes intill varandra, med trädörrar och pyttesmå fönster. En salig röra av tegel, stenar, människor och djur. Det rådde ständig brist på vatten, därför sket man hukad bakom kärrorna eller intill gårdspumparna som, när de fungerade, tillät en att tvätta sig någorlunda.

"Det är en plats som Gud har övergett, signore. Där gör det ingen skillnad om man är människa eller djur. Man lever på samma sätt."

Den unge mannen gestikulerade utan att fäkta överdrivet med armarna, som de andra männen i trakten gjorde. Han bugade sig som tecken på respekt och hade ett hövligt sätt som föll specerihandlaren i smaken.

"Då ska jag visa er till er mosters hus. Det ligger i skogen", sammanfattade han.

Tillsammans klev de upp på kärran och begav sig i riktning mot häxans hus.

"Det kommer att göra mig gott att vara omgiven av träd. Äntligen får jag lite rymd runtomkring mig", sa den unge mannen belåtet. "I Matera kändes det som om jag skulle kvävas." Han tryckte specerihandlarens hand. "Jag heter Giacomo. Giacomo Pisanu", sa han innan han försvann runt den sista kröken.

4

Några dagar senare dök Giacomo Pisanu upp hemma hos oss. Angelina och jag satt hopkurade under ljusskenet och sydde klänningar till Lollinas bröllop. Mamma hade under två års tid låtit oss ta lektioner hos sömmerskan, och vi hanterade nål och tråd ganska bra. Angelina var snabbare än jag, men också mindre precis. Jag var noggrann, kanske till och med för noggrann, och det sinkade mig.

Såvitt vi kunde minnas var det första gången som en främmande man klev över tröskeln till vårt hus, även om Giacomo fortfarande var en pojke. Han var tjugofem år gammal, skulle vi få veta senare den dagen. Don Beppes dotter hade inte misstagit sig: den unge mannen hade skimrande ögon och en fyllig mun, även om han var smutsig och hans kläder stank av kogödsel.

"Jag heter Giacomo Pisanu, och jag är häxans systerson. Jag kommer från Matera", presenterade han sig.

Pappa granskade honom under några sekunder där han stod i dörröppningen. Måhända tog han honom vid första anblicken för en lösdrivare, eller kanske gillade han helt enkelt inte att ha andra män i sitt hem. Häxans systerson tog av sig hatten och kramade brättet i händerna. Pappa tyckte om den där gesten, så han klev åt sidan och lät honom komma in. Mamma torkade av händerna på en kökshandduk och hälsade på den unge mannen. När han fick syn på mig och Angelina på andra sidan rummet slog han ner blicken och rodnade. Naturligtvis var det på Angelina som hans blick dröjde sig kvar, och ett knappt märkbart leende krusade hans läppar. Jag noterade att hans tänder var kritvita och jämna.

"Slå er ner", sa pappa och drog ut stolen åt honom. "Kan jag bjuda er på ett glas primitivo?"

Den unge mannen tackade ja, men svalde flera gånger innan han började prata.

"Vi beklagar er mosters bortgång. Hon var en djupt respekterad kvinna här på orten", fortsatte pappa.

Den andre nickade, men väntade tills pappa ställde frågan innan han började berätta sin livshistoria.

"Så, vad är det som för er hem till mig?"

Då harklade sig Giacomo och satte igång att beskriva sitt hus i Matera. Före kriget hade han haft skafferiet fullt med bröd, en spannmålssäck full med vete, olivolja som kom purfärsk från hans fars åkrar – må han vila i frid. De hade bott tre stycken under det där taket, han själv, hans pappa och så hans yngre bror. Sin mor hade de förlorat redan när de var barn. "Han hette Salvatore, min bror. Salvatore."

Angelina och jag lade ifrån oss tygstyckena som vi hade i händerna. Giacomos röst sprack en aning. Även jag svalde ner några beska salivklumpar. Det var första gången jag upplevde det där underliga pirret i magen, och ett slags yrsel som tvingade mig att hålla andan. Det var något visst med den unge Giacomos blick, något som jag inte kunde sätta fingret på. Intensiteten i hans ögon var densamma som gjorde häxans uttryck så hypnotiskt och lockande.

"När jag återvände från kriget hade allt förändrats, signor Sozzu. Jag hade ingenting kvar", fortsatte han.

"Var tjänstgjorde ni någonstans?" frågade pappa. Även hans röst skälvde till av känslosamhet, men han aktade sig noga för att visa det och hostade lägligt några gånger.

"Första artilleribataljonen", svarade Giacomo och sköt ut bröstet och hakan.

"Andra infanteribataljonen", sa pappa.

Giacomo drack en klunk vin och torkade sig i pannan, fastän det var kallt och huset bara värmdes upp av brasan.

"Och er bror?" frågade mamma.

"Artilleriet, han också, signora. Andra bataljonen."

Han hade en mjuk och behaglig röst, full av obekanta ljud, men fastän det var påtagligt att han inte var från vår trakt och han uttalade ord som ibland tycktes främmande, kändes det som att jag redan kunde betrakta honom som en av oss, utan att riktigt veta varför.

"Nordafrika, signora", fortsatte han. "Det var där han dog. Jag fick ett brev, tillsammans med ett paket som innehöll hans tillhörigheter. Det här var hans klocka", sa han och pekade på sin handled. "Vår pappa gav honom den i present när han fyllde tjugoett. Året därpå dog de båda två. Pappa av en svår lungsjukdom och min bror av en granat. Klockan fungerar inte längre, men jag bär den ändå. Klockslaget bryr jag mig inte om."

Angelina och jag lade händerna för munnen för att hålla tillbaka vår bestörtning, och mamma likaså. Pappa, för sin del, gjorde något som han inte hade gjort inför någon sedan han kom tillbaka från det onda kriget. Han blev rörd. Kanske återupplevde han det som hade hänt gud vet hur många av hans soldatvänner som han bevarade inom sig; ett elakt virus som, om det hade frigjorts, skulle ha fått till och med luften som han andades att ruttna.

Nu såg han ingående på den unge mannen som för honom måste ha framstått som enormt högrest, tärd, med ovanligt ljus hy och allvarsam blick, medan denne fortsatte berätta historien om sitt liv. Vi vet inte varför han valde just vårt hus och vår familj för att stjälpa ur sig krigsårens smärta och de umbäranden som hade kullkastat hans ungdom.

"När jag blev ensam kvar var jag tvungen att börja om från början. Jordbruket, maten, det gamla huset som behövde renoveras, men nu är jag trött. Min mosters erbjudande fick mig att inse att det var dags för mig att lämna allt bakom mig och börja ett nytt liv. Jag är skicklig på att arbeta med händerna", sa han och visade upp sina nedsvärtade fingrar, den spruckna huden, naglarna som såg ut som skärvor av bränt vax.

"Jag är född med hackan i händerna och vet hur man får persikoträden och plommonträden att växa och bära frukt. Människorna här i grannskapet sa till mig att ni är en hederlig man, att ni brukar baron Personès jord och att ni kanske skulle ha nytta av en medhjälpare, ett par unga armar och ett skarpt huvud. Jag ber inte om några pengar, bara något att äta, en del av skörden. Inget mer." Och så lade han högerhanden mot hjärtat.

Pappa strök med handen från munnen upp till pannan, rättade till håret som fortfarande var kolsvart, och lade sedan fingrarna mot munnen igen.

"Jag förstår er lust till frigörelse, käre Giacomo, men situationen här är inte annorlunda än den i Matera. Har ni sett hur det är häromkring?" frågade han och slog ut med armarna, som om man kunde se hela Arneo från vårt hus. "Här ägs allt av två släkter: familjen Personè, som förfogar över fälten bort till Lecce, och så på andra sidan familjen Tamborrino, som disponerar allt ända bort till Maglie. Varenda ko i deras hjord har rätt till två hektar mark för att beta, men om en lantarbetare, en stackars arbetslös ung man från Matera som ni själv, utan tillåtelse att bege sig ut i snårskogen för att skaffa ett knippe virke eller leta efter sniglar att stilla hungern med, ertappades av baronens lakejer skulle han bli nedslagen av vakterna eller till och med ihjälskjuten. Här har bönderna inga som helst rättigheter. Förstår ni det?"

Giacomo lät blicken svepa över väggarna i vårt hus. Pappa gjorde detsamma, och sedan även mamma. Skrevor och möbler tycktes blänga på oss, framträda med alla sina rispor, skråmor, skuggor. Jag stirrade på väggen framför bordet och tyckte att den öppnade sig framför mina ögon, som en ansamling av grå moln när åskan går. Pappa hade slängt sanningen i ansiktet på oss: det var precis som han sa. Vi var tvungna att vända och vrida på varenda slant för att överleva. Krigets hungersnöd hade ersatts av maktmissbrukets. Huset visste om det. Våra trånga rum visste om det. Det inrökta lilla köket, de få sneda stolarna, det rangliga bordet, de sönderslitna kläderna som vi enträget fortsatte laga varje vecka. Mamma visste om det, när hon såg varorna på marknaden och inte hade råd att köpa dem. Tyghandlaren Pinuccio rullade ut tygerna som han hade på sin kärra och lät dem breda ut sig inför kvinnornas blickar, och de snuddade lätt vid dem med fingertopparna. Den tunna perkalen att sy sängkläder av, det skotskrutiga tyget till skjortorna, det svarta satinet till de eleganta klänningarna, gabardinen till sommarplaggen, det dubbelvävda, exklusiva tyget från Marghera till de varma kostymerna. Kvinnornas ögon lyste, men bara några av dem kunde unna sig ett stycke tyg.

"Köp, mina sköna damer", sa handlaren och fäste blicken på mamma, som fortfarande var så vacker att hon fick männens ögon att glöda, men åldrad i långklänningen i grovt tyg som dolde hennes fina kurvor. Om hon någon gång köpte något var det alltid till mig eller till Angelina. När jag tänkte efter insåg jag att jag inte hade sett mamma stråla sedan krigsåren, när hon varje vecka gick och besökte baron Personè. Hur kändes det egentligen för henne, att det var samme man som nu hade reducerat oss alla så där?

Jag iakttog henne under tiden som pappa berättade om maktmissbruket, om de obrukade och sumpiga jordarna som baronen hellre lät ruttna än överlät dem åt bönderna. Hon stod stödd mot väggen och hennes blick var frånvarande. Hon hade intagit försvarsposition, stående i ett hörn av rummet, som ett barn i skamvrån. Under hela mitt liv har jag undrat vad hon verkligen kände för mannen som hade räddat oss under kriget, men jag har aldrig lyckats uppbringa modet att fråga henne.

5

"Jag säger att vi kan hjälpa honom, Nardi."

Det var hon som tog till orda, min mamma. Hon gjorde det med samma stolta kroppshållning som när hon promenerade på gatorna och som hade accentuerats efter våldtäkten. Den sträckta nacken, den framskjutna hakan, en självsäkrare attityd.

Pappa såg på henne, lutade sig fram och stödde handflatorna mot låren: "Låt gå", sa han till slut. "Men arbetet börjar klockan fem på morgonen, och det som ni får med dig hem är det som vi gallrar bort. Om ni är okej med det, får det bli så."

Giacomo bockade som tecken på tacksamhet och kramade ännu hårdare om hattbrättet.

"Förresten, en sak till", tillade pappa. "Nästa gång, innan ni kommer hem till mig, ser ni till att tvätta er och ta av er de där kläderna som stinker av gödsel."

Giacomo reste sig och strök skamset över sina smutsiga kläder. Han nickade svagt, och förmådde inte se på mig och Angelina innan han gick ut.

"Tack till er också, signora", kände han sig tvungen att tillägga.

Den kvällen gick jag och lade mig med bilden av Giacomo Pisanu på näthinnan. Sedan Angelina och jag hade fått kvinnliga former hade det blivit omöjligt för oss att sova i samma säng, så pappa hade skaffat en madrass som dagtid stuvades in under sängen och på kvällen drogs ut, redan bäddad och klar att sova på. Jag hade bestämt mig för att ta madrassen och låta min syster få den bekvämaste huvudkudden. Angelina hade försökt protestera, sa att hon var yngst och alltså den som borde uppoffra sig, men jag visste att det var rätt så där. Fastän hon var yngre än jag var hennes kropp kurvigare. Jag för min del var fortfarande trådsmal, hade hy som porslin och en lång och smäcker hals, den enda gåva jag ärvt av mamma. Hon och Angelina var som varandras avbild, inte bara till det moriska och tilldragande utseendet, utan också till sättet att vara. Min syster hade vår mors styrka, en intensitet som föddes ur ett slags förakt för världen och som förenade dem. När jag tänker på det kan jag inte låta bli att betänka att allt det mamma hade varit med om under de gångna åren hade förvandlat hennes livsgnista till en kärv och dyster känsla som inte längre hade någonting att göra med den sprittande livfullhet som jag såg i Angelinas ögon. Hon var allt det som mamma en gång hade varit och som ett oupphörligt och hemligt lidande hade förmörkat.

"Hur tycker du att häxans systerson verkar?"

Det var Angelina som först nämnde honom. Jag såg henne ligga utsträckt på sängen som en gång hade tillhört oss båda, med händerna bakom nacken och blicken fäst i taket. Hon talade dämpat så att våra föräldrar inte skulle höra.

"Jag vet inte. Han verkar vänlig."

"Vänlig. Nog är han vänlig. Men vad tycker du om hans yttre? Är han inte stilig?"

"Stilig. Det var inget som jag tänkte på", ljög jag. För visst hade jag lagt märke till de välformade, nästan feminina läpparna och de långa ögonfransarna som fördjupade hans blick, men jag vågade inte yppa de iakttagelserna för någon.

"Synd bara att han är en fattiglapp", kommenterade Angelina.

Jag tyckte inte om den slutsatsen. Jag var övertygad om att en människas värde mättes i annat än pengar. Förresten var fattigdomen något som vi alla hade gemensamt, och baronens behag, som hade tjusat mig som barn, framstod numera bara som en fälla.

"Vill du sova med mig i natt?" frågade Angelina och såg på mig med sina stora mörka ögon.

"Hur så?"

Hon ryckte på axlarna. "Ingen särskild anledning. Jag har bara lust att vara nära min syster."

Jag kröp ihop intill henne. Angelina vände ryggen mot mig, tog min arm och lade den om sin midja. Vi låg tysta en stund. Giacomos blick övergav mina tankar och jag koncentrerade mig på min systers kropp och andetag. Jag var lycklig under tiden som jag smekte hennes mjuka, skimrande hud och inandades hennes lavendeldoft. Om jag hade vetat vad som sedan skulle hända, om jag hade haft häxans förmåga, skulle jag ha präntat in hennes doft i mitt minne, värmen, den exakta rytmen i hennes andetag, för att aldrig glömma linjerna och kurvorna, varje liten oregelbundenhet som gjorde henne olik alla andra. Min syster. Jag tillhörde henne. Och hon tillhörde mig.

Morgonen därpå gick vi tillsammans för att lämna våra klänningar till sömmerskan, en viss Nunzia som hade ett kantigt och asymmetriskt ansikte. Hon var butter och osympatisk, men mycket skicklig med nål och tråd. Hon skulle ge oss råd om den sista finputsningen att göra på klänningarna som vi skulle bära på Lollinas bröllop.

Kylan färgade Angelinas kinder rosa. Det var omöjligt att inte lägga märke till de lystna blickarna som männen slängde efter henne. Om inte farmor Assunta hade älskat henne så mycket skulle hon ha sagt samma sak om henne som hon så många gånger hade muttrat till mamma: att skönheten är en förbannelse. Angelina var medveten om vilken effekt hon hade på män och promenerade med svängande höfter, som vissa filmstjärnor som hade lärt henne den där självsäkra gången och högdragna blicken. Hon kammade ut sitt långa lockiga hårsvall i stora vågor som nådde henne nästan ända ner till skinkorna. För de allra mest troende skulle hon ha framstått som den heliga jungfrun.

När vi gick förbi tyghandlaren Pinuccios salustånd drog den kortvuxne, flintskallige mannen en tandpetare från den ena mungipan till den andra och granskade henne från topp till tå: "Åt Sozzus döttrar duger endast det bästa", sa han och hukade sig i en tafflig bugning. Sedan rullade han ut ett stycke plommonfärgad taft som var så frasande att tyget tycktes sjunga.

Angelina strök med handen över det. Hennes ögon glittrade. Tyget hade lämpat sig perfekt att sy en klänning av. Den där färgen skulle ha fått liv mot hennes bärnstensfärgade hud. Hon öppnade handväskan och räknade lirena. De var så knappa, och vi behövde dem för att betala sömmerskan för hennes rådgivning.

"Vi kan inte, Angelina. Vi har inte råd."

Då kom en kvinna fram till oss, en viss Nella, som kriget hade förvandlat från en förskrämd fågelunge till en panter. Hennes man hade återvänt från ett tyskt fångläger, med kroppen i gott behåll men med en söndrig hjärna. En gång i tiden hade han varit lumphandlare, men sedan dess var han för alla bara Giovanni den dumme. Hans händer och armar skakade och han höll dem ständigt i höjd med bröstet, som en handikappad. Munnen hade förvridits i en onaturlig grimas, så att den högra mungipan strävade upp mot kinden medan den vänstra hängde slapp som en utnött trasa. Somliga sa att en granat hade exploderat bara några meter från honom och att han hade sett sina kamraters huvuden slitas bort från resten av kroppen. Han hade mirakulöst klarat sig oskadd, men han var inte längre samme man som han en gång hade varit; det var som om han på nytt hade blivit ett barn, oförmögen att särskilja grått från vitt och svart. Han kunde fortfarande räkna, läsa och klottra ner något på ett papper, men världen som han levde i hade blivit platt och präglades av ett slags gränslös naivitet, en barnslig häpenhet som fick honom att gå från skratt till gråt utan något synbart skäl och samtidigt berövade honom förmågan att uttrycka sig ordentligt. För det mesta gav han ifrån sig monotona ljud, en intetsägande klagosång som ögonblicket senare briserade i ett ofrivilligt och vettlöst skratt. På grund av detta hade han varit oförmögen att förstå vad som under tiden hade hänt med hans hustru, som från en dag till en annan hade bestämt sig för att ta makten över sitt eget liv. Hon hade börjat arbeta som hårfrisörska och var faktiskt ganska skicklig, men de amerikanska filmerna hade förfört henne så till den grad att hon ville förvandlas till en av de där förtrollande skådespelerskorna som alla ortens män drömde om på nätterna. Hon var fortfarande i god form, sund och välnärd, och framhävde sina svällande former med åtsmitande klänningar som hon lät sy upp hos sömmerskan varje månad. Hon promenerade på piazzan uppsminkad och parfymerad, och tuperade sina kolsvarta lockar så att de ramade in ansiktet som dockhår. De gamla kvinnorna sa att hon prostituerade sig mitt framför ögonen på sin enfaldige man och att det var därför hon kunde unna sig att byta klänning varje vecka. Någon hade sett henne gå in på ett litet hotell på Via dei Mille, bakom det nya kvarteret, med en soldat som var betydligt yngre än hon själv.

När tyghandlaren såg henne bugade han sig även för henne. "Det måste vara min lyckodag idag, med så många sköna damer runt mitt salustånd."

Nella tog taftstycket i sina händer och smekte det medan hon blundade. "Jag hörde att du skulle vilja köpa det", sa hon och vände sig till min syster.

Angelina skakade på huvudet. "Jag kan inte. Handlaren vill ha för mycket för det."

Nella drog tygstycket till sig och luktade på det. "Jag köper det åt dig", sa hon till slut.

Angelina såg på mig och tyghandlaren såg på henne, och sedan skyndade han sig att samla ihop tyget för att inte gå miste om affären.

"Det kan vi inte acceptera", svarade jag.

"Det är klart ni kan. Det är en present, en present till din syster. Kan jag inte få ge er en present? Men jag har ett villkor. När du har sytt upp klänningen", sa hon mjukt och vände sig till min syster, "vill jag att du kommer och visar mig hur den sitter på dig. Och du behöver inte vara rädd för min man. Ända sedan han kom tillbaka från kriget i det där skicket är det ingen som har lust att komma och hälsa på oss, inte ens våra släktingar, men han är harmlös. Han är som ett barn, oförmögen att göra så mycket som en fluga förnär." Hennes ögon blev plötsligt tomma, fästa på en obestämbar punkt framför henne. Sedan samlade hon sig igen och strök över lockarna som föll ner runt hennes ansikte. "Lovar du att komma, då?" frågade hon och log.

Angelina nickade och kramade tyget i händerna. "Tack, tack så mycket", sa hon.

Kanske blev tyghandlaren rörd av scenen, för han vände sig om och började gräva runt i en av sina väskor, och plockade upp en docka med ett ansikte av målat vax och en kropp av sågspån, klädd i en klänning av röd taft.

"Den här är till er", viskade han till Nella. "Ni är som den här dockan. Röd taft."

Han uttalade orden ömt, men det var en ärbarhet som gränsade till bedräglighet. Nella, som vid det här laget var van vid männens skrupelfria spel, tog emot dockan och betraktade den på lite avstånd. "Jag tar emot er gåva, men kom ihåg att jag inte står i någon tacksamhetsskuld till er", sa hon torrt.

Hon gav oss ett leende ögonkast, betalade för det plommonfärgade tyget och gick sin väg.

Angelina kramade tygstycket i händerna. Hon var överlycklig. Vi lämnade marknaden och följde den stora vägen som klöv fältet i två delar. Vi hade lust att promenera och det var som om vi undermedvetet styrde stegen i samma riktning. På långt håll kunde man skymta de närliggande byarna, ett fåtal hus och köksträdgårdar som såg ut att hänga i logarna. Jordremsan var svart och suddades ut vid horisonten, uppslukad av en grå himmel. Vi traskade på utan att säga något, och kom till slut fram till baron Personès stora lantegendom. Böndernas fönster som vette mot vägen var alla tillbommade, men vi visste att de brukade stänga om sig och spionera genom springorna för att se vilka som närmade sig. Vi kunde känna deras ögon på oss. Jag tänkte på hur många ögon som några år tidigare hade smygtittat på mammas kropp vid entrén till baronens gods. När man stod där och beundrade det perfekta och glänsande vita huset, de välordnade och frodiga åkrarna, fick man känslan av att träda in i en annan dimension. Framför de blomstrande fälten glömde man bort gyttjan och grymheten.

"Baronens hus är vackert."

Angelina sa de där orden mer till sig själv än till mig. Hon såg rakt mot den breda allén som ledde till entrén medan hon kramade tyget i händerna. Som om hon blott genom att röra vid den dyrbara taften förlänades en särskild passersedel för att ta del av den där världen, även hon.

"Jag vill också ha ett hus som det där när jag blir stor", viskade hon, och den här gången såg hon mig rakt i ögonen.

Jag visste inte vad jag skulle svara, så jag nöjde mig med att ta hennes händer i mina och nicka.

"Nu går vi. Sömmerskan väntar på oss", skyndade jag mig att säga, plötsligt angelägen om att lämna platsen som hade förmågan att trollbinda och vilseleda vem som än vilade sina ögon på den.

När vi kom hem igen sa vi till mamma att vi hade fått tygstycket av sömmerskan eftersom hon tyckte att vi var så duktiga. Vi var rädda att hon skulle tvinga oss att lämna tillbaka den dyrbara gåvan om hon så bara hörde Nellas namn nämnas. Angelina hängde upp tygstycket på tvättlinan ute på gården för att vädra det, och satt sedan hela eftermiddagen och beundrade den plommonfärgade taften, känslosam och försjunken i tankar. I det ögonblicket insåg jag att Angelina var i sitt esse när hon omgavs av vackra saker och att hennes innersta väsen förde en förtvivlad kamp mot gyttjan och grymheten som var fast bosatt i våra gränder. Det var inte bara den plommonfärgade taften som fick hennes ögon att lysa, utan en outsläcklig önskan om att befinna sig på en annan plats; en önskan som tyngde henne likt en gravsten och som gjorde henne på samma gång ängslig och full av liv. Av någon underlig anledning kände även jag mig annorlunda den eftermiddagen, och jag visste inte om det berodde på tygstycket som Nella hade gett min syster, på mötet med häxans systerson eller kanske med självaste hårfrisörskan. Jag kände mig egendomligt lycklig.

Jag vände ansiktet uppåt och drog ett djupt andetag, och stannade till och betraktade himlen ovanför mitt huvud: det var samma himmel som alltid, men jag hade aldrig förr uppfattat den på det sättet. En ansvällning av gyttjiga moln, mer grå än vita, en villrådig himmel, likväl kände jag att jag aldrig hade sett något liknande.

Det var första gången jag skådade en sådan himmel. Senare skulle jag upptäcka att kärleken, och endast kärleken, har den inverkan på människor.

6

I januari 1950, under protesterna mot markis Tamborrino av
Maglies ockupation av jorden, träffades en trettioårig lantarbetare
av en gevärssalva i magen och dog. Från och med den händel-
sen började revolutionens vind att blåsa över trakterna av Nardò,
Carmiano, Leverano och Copertino. Pappa och de andra männen
på orten hade satt sig i sinnet att jordbrukskooperativen äntligen
skulle kunna ge bönderna det som de hade rätt till. Det första målet
var baronens obrukade slätter: vissna och förruttnade hedar som
människorna i Arneo ville förvandla till bördiga åkrar. Giacomo
Pisanu hade inte bara blivit en utmärkt medhjälpare till pappa, utan
också en orädd idealist som blev eld och lågor inför hans brandtal.
Under månaderna som han hade tillbringat i Copertino hade han
redan hunnit skaffa sig en mula och en kärra, fyra getter och ett
antal höns som fyllde skogen med sitt högljudda kacklande. Pappa
bjöd in honom till lunch hemma hos oss varje söndag. Jag tror att
Giacomo påminde honom om någon ung vapenbroder som hade
dödats under kriget, för hans ögon lyste upp varje gång häxans sys-
terson klev över tröskeln till vårt hus. Giacomo hade under tiden
lärt sig det goda uppförandets konst och även om han ännu inte
hade kunnat unna sig en ny kostym var han förutseende nog att
tvätta de två skjortor som han ägde och att hänga ut dem i solen så
länge att de, när han tog på sig dem inför besöken hos oss, såg lika
styva ut som kanvas. Med honom tillät sig pappa att prata öppet om

de problem som bönderna i Arneo tampades med, och gick in på detaljer som han vanligtvis utelämnade inför oss kvinnor.

"Om det var upp till mig", gastade han en gång, "skulle jag skicka herr Personè och herr Tamborrino och även deras förnäma söner, som är lika ohederliga som sina fäder, på tvångsarbete. Så skulle de få känna på hur det är att slita ont och bryta sönder sina naglar i jorden."

Under tiden hade baronens smilfinkar till lakejer börjat hålla till på piazzan och på ortens osterior för att spionera på rebellerna, och det var under en av deras razzior som de släpade med sig Den svedde, Lollinas fästman, med ett hårt grepp om hans krage. Han hade suttit vid ett bord inne på osterian i sällskap med barnmorskans man, som ända sedan kriget hade agerat konspiratör och spydde gift över alla. När han och Lollinas fästman hade försökt hejda en av baronens vakter hade denne visat dem gevärspipan: "Sköt du ditt, så klarar du dig med livet i behåll. Annars står du näst på tur, kommunistjävel", hade han sagt och spänt ögonen i honom.

Den första gången som de förde bort Den svedde, under hans förlovningsfest, hade de skickat hem honom med ett svullet öga och smärtande lemmar. Men efter den där andra gången kom Lollinas fästman inte tillbaka igen. Vigseln, som skulle förrättas i juni, fick ställas in och ingen visste vad som hade hänt den unge mannen. Någon sa att han hade slagits blodig och lämnats halvdöd i skogen. Mannen som hittade honom hade sedan i hemlighet fört honom till hans far, som hade sett till att packa ner alla deras tillhörigheter i två kartongväskor, och sedan hade de båda tagit sig till hamnen i Taranto och klivit ombord på en båt. Den sveddes hus hade blivit stående igenbommat med spindelväv som blänkte i hörnen av fönstren. Lollina fick inte så mycket som ett brev, ett ord, ingen som helst förklaring. Under tre dagar marscherade en procession av kvinnor till Nenennas hus.

"Min stackars dotter", bölade hon med ansiktet i händerna.

Lollina låg orörlig och modfälld på soffan. Hon hade hunnit vänja sig vid tanken på sig själv som brud och såg redan framför sig de små kaffelattefärgade barnen med huvuden täckta av tätt, krulligt hår. Nenenna försåg henne med varma handdukar och buljong för att lindra hennes sorg. Hon hade till och med kallat dit läkaren, för Lollina vägrade äta och hade samma ansiktsfärg som tyghandlaren Pinuccios porslinsdockor.

"Det finns inga mediciner för den här sortens åkomma", var allt doktorn hade sagt.

Farmor Assunta gick dit med färska ägg som hennes egna höns hade värpt, och uppmanade Nenenna att försöka få flickan att äta dem råa eftersom det motverkade blodbrist. Farmor hade blivit allt vekare inför olyckor och orättvisor och hade allt närmare till gråt, även om de stora tårar som hon en gång brukade fälla vid det här laget hade ersatts av någon enstaka droppe, ålderdomens diskreta gråt som väller fram stillsamt eftersom den har upptäckt alltings ofrånkomlighet. Med åren hade farmor Assuntas ansikte blivit ännu blekare och tunnare, som silkespapper. Pyttesmå rännilar av blåaktiga ådror lyste igenom huden under hennes ögon och förstärkte känslan av bräcklighet som hennes späda kropp utstrålade. Hon gick med lätt krökta axlar och långsamma steg, rörelserna var klumpiga och osäkra, som om hon hade förlorat kommandot över dem, och ackompanjerade av knappt märkbara huvudskakningar. När jag ser min mamma nu tänker jag tillbaka på farmor under den sista spillran av hennes liv, och en öm nostalgi strömmar genom mina ådror, en tjockflytande värme som gör mig gråtfärdig. Men på den tiden var jag tjugo år gammal och njöt fortfarande av den känsla av odödlighet som ungdomen ingjuter. Jag hade också lagt märke till att farmor Assunta hade blivit mer noggrann med att hålla ordning i huset. Koppar och glas stod prydligt uppradade i köksskåpet, fruktskålen var placerad mitt på bordet och den lilla duken i makramé låg på byrån. Inne i sovrummet höll hon uppsikt över gobelängen som hängde ovanför dubbelsängen där hon sedan två år tillbaka sov ensam, pendeluret som för länge sedan hade stannat och som för alltid skulle visa tre, påsarna med kamfer i byrålådorna där farfars kläder fortfarande låg kvar, och till sist fotot som föreställde hennes föräldrar som unga, på sekretären inne i sovrummet, ett rum som ständigt var höljt i dunkel på grund av de stängda fönsterluckorna. Porträtten, som hade slutna ögonlock i mörkret, stirrade på henne med uppspärrade ögon.

"Titta, Tere', det här är din gammelfarmor och gammelfarfar", sa hon varje gång. "Ser du att du är lik min mor?"

Och jag ansträngde mig för att känna igen mig själv i den veka hakan och de markerade kindbenen. Hon upplevde faderns och moderns ansikten som en själens barlast. Jag tror att var och en av oss, om vi fick möjligheten att återvända till ögonblicket som föregår förlusten av en älskad, skulle finna ett ord att uttala eller en gest att utföra för att lindra saknaden. Jag fick aldrig veta vilket det ordet var för min farmor, men jag vet att hon uttalade det tyst för sig själv varje gång som hon kysste de där fotona, innan hon plötsligt drog tillbaka handen, som om kylan från osynlig snö fick henne att huttra till.

7

Vi lät tyghandlaren Pinuccio köpa tillbaka klänningarna som vi hade sytt upp till Lollinas bröllop, och min syster satte igång att sy sin plommonfärgade klänning. Det var redan långt inpå våren när hon blev klar med den.

"Vi måste gå till hårfrisörskan och visa upp den. Man ska hålla sina löften."

Jag såg henne granska sig själv i den tonade spegeln inne i sovrummet. Hon synade sig själv först från höger och sedan från vänster, insvept i den frasande taften som fick henne att se ut som en stjärna på vita duken. Under den senaste tiden hade hon förutom passionen för film lagt till en ungdomlig förtjusning i kärleksromanerna som hon fick låna av sömmerskan, på villkor att hon lämnade tillbaka dem inom två dagar. Jag såg henne sluka berättelserna om evig och ofta omöjlig kärlek, i vilka de unga kvinnorna liknades vid liljor, rosor och andra fantastiska ting. Kanske förväntade hon sig att en ung man, som tagen ur en roman, från en dag till en annan skulle falla ner från himlen och låta henne uppleva samma intensiva känslor. Det var därför hon föraktade alla traktens tölpar, unga män av kött och blod som Giacomo, som inte liknade de charmerande hjältarna i hennes berättelser det minsta. Det var som om min syster hade skapat sig en låtsassjäl som levde någon annanstans och som inte på riktigt såg det som omgav oss. Hon promenerade med lätta steg genom gränderna på sitt enda par högklackade skor, gick i sakta mak uppför spiraltrappan ovanför stadskärnans trånga och mörka passager, strosade med rynkad näsa förbi tunnorna utanför vinbutikerna och under brödkorgarna som stod utställda på balkongerna. Hon svarade inte på de vulgära komplimangerna från männen som stod i korsningarna och glodde på henne, utan log bara och skakade på huvudet; på sin höjd himlade hon med ögonen och fnös, och svor sedan tyst för sig själv: "Dessa arma fattiglappar." Sedan stötte hon ut en lång suck uppåt, bortom husfasaderna och de rundade balkongerna som var fulla med basilika och mejram, mot den punkt på himlen varifrån hennes älskade skulle nedstiga. Det var så jag såg min syster, en behagfull skugga omgiven av ett starkt sken.

Vi gick hemifrån tidigt på morgonen, hon iklädd taftklänningen och jag en blommig trasa som jag hade sytt själv och som inte kunde mäta sig med Angelinas klänning. Vi hade bara varit hemma hos hårfrisörskan en gång tidigare tillsammans med farmor Assunta, som efter det där enda tillfället hade vägrat gå tillbaka till kvinnan som hon betraktade som djävulen personifierad, med de tjocka lockarna och den hårda sminkningen. Vägen ledde bort mot en hed med törelväxter som hettan och torkan hade förvandlat till glasartade rör. Bortom den steniga vägen låg en pytteliten gård med taniga olivträd utslängda här och där. Det var här hårfrisörskan bodde, och den lilla jordlotten tillhörde hennes man. Angelina hade svårt att gå med sina höga klackar på grusvägen och tvingades stanna till flera gånger. Hon traskade på sammanbitet, utan att säga ett ord. Till höger om ytterdörren tronade ett stort krucifix i trä, och bredvid det stod en vigvattenskål som var sprucken på flera ställen. Vi kikade in genom fönstret, för inte ett ljud hördes inifrån huset, och skymtade några gamla dryckeskärl och ett par sopkvastar. Det där skrangliga och nedgångna huset påminde mig lite om häxans kåk. Så fick vi syn på hårfrisörskan där hon satt framför ett toalettbord, upptagen med att fixa till sina lockar. Vi knackade försiktigt på dörren. Jag var rädd för den där kvinnan. Det var hennes frigjordhet som skrämde mig.

"Åh, de vackra flickorna från marknaden", utbrast hon och log. Sedan bad hon oss stiga på, och med yviga gester visade hon oss allt som fanns i huset. Skafferiet, stolarna med flätad sits, fotona på de döda, en vas med blommor.

"Oroa er inte, min man är inte hemma. Han kommer inte tillbaka före lunch. Slå er ner, för all del."

Hon pekade på stolarna runt köksbordet och började rota i skafferiet för att göra i ordning kaffe.

"Jag har inga kakor, ni får ursäkta mig. Jag är inte van att få besök."

Angelina och jag såg oss omkring. Jag tror att vi båda sökte efter spår av de otaliga synder som hon beskylldes för.

"Du har verkligen sytt dig en grann klänning", sa hon till Angelina och vände sig mot henne. "Jag hade inte kunnat spendera mina pengar bättre."

"Det var vänligt av er att köpa tyget åt mig, så jag ville visa er hur klänningen blev."

Hårfrisörskan doftade av talk. Det var en lukt som jag förknippade med farmor Assunta, som brukade pudra sig med talk från skuldrorna ända ner till fötterna. Kanske var det därför den doften fick mig att tänka på något förvissnat, på ålderdomen, skrumpen hud, något att bevara.

Hon slog sig ner bredvid oss och vi drack kaffe tillsammans. Ingen av oss sa något. Då och då blickade hårfrisörskan ut mot trädgården utanför fönstret. Mer än en gång häpnade jag över att se bröstet som inte längre var slätt, sedan lät jag blicken vandra längre ner och granskade de magra fötterna, den överdrivet långa stortån, de krokiga tårna. Jag fick känslan av att inkräkta på en privat sfär och riktade blicken mot fönstret, jag också. Låga moln svävade på himlen. Det var samma moln som dagen innan, men av någon oklar anledning föreföll de mig inte längre lika besynnerliga. En sparv satt på tvättlinan och vred sitt lilla huvud från den ena sidan till den andra. "Följ med mig", sa hårfrisörskan plötsligt och ställde ner koppen på bordet.

Vi reste oss och hon ledde oss mot en liten vit dörr i den andra delen av huset. Halva handtaget var rostigt och delar av målarfärgen på dörrposten hade flagnat så att det svartnade, murkna träet skymtade fram. Hårfrisörskan öppnade dörren med ett hårt ryck samtidigt som hon tryckte på gångjärnen som numera var trötta på att röra sig. Vi kom in i ett pyttelitet och nedgånget badrum med ett blekgrönt handfat, en toalett och ett badkar som hade sett bättre tider. Hon öppnade ett väggskåp och tog ut ett skrin som innehöll smink, en hårborste och några hårsaxar. "Kom, så går vi till mitt sovrum."

Vi följde efter henne och min blick dröjde än en gång kvar på hennes figur, de smäckra benen och det svarta hårsvallet som föll ner över de rundade höfterna.

Hon pekade mot ett toalettbord i grönt trä och en gammal stol med flätad sits som stod framför det. Toalettbordet föreföll vara den enda möbeln i huset som inte höll på att ätas upp av trämask.

"Det här tillhörde min mor", sa hon och visade oss ett litet hårspänne i silver.

"Det är verkligen fint", utbrast Angelina och kramade det värdefulla smycket i sina händer, smekte det ingraverade mönstret medan hon vände och vred på det flera gånger.

"Jag var i din ålder, sjutton år gammal, när min mor gav det till mig i födelsedagspresent. Hon ville att jag skulle bära det på min bröllopsdag. Hon visste att hon var svårt sjuk och att hon inte skulle hinna se mig iförd den vita klänningen och brudslöjan, men det var till den som silverhårspännet var tänkt."

Det fanns ingen sorgsenhet i hennes blick, bara en öm nostalgi.

"Nej, inga ledsna minnen nu", skyndade hon sig sedan att säga och viftade med händerna som för att sjasa bort en besvärlig insekt. "Nu ska vi göra er fina, flickor."

Vi lät henne hållas. Jag greps av exakt samma våg av känslor som jag alltid gjorde vid anblicken av mitt eget ansikte i spegeln. Det var förstås inte första gången. Varenda dag konfronterades jag med spegelbilden av den stora munnen, de kantiga kindbenen, den höga pannan och de täta ögonbrynen som ramade in två djupa, blå ögon. Men jag hade aldrig tänkt tanken att det skulle kunna finnas skönhet i den där tavlan.

"Vi börjar med det här olivfärgade ansiktet", fortsatte hon och vände sig till Angelina.

Hårfrisörskans mjuka, smäktande röst var som en silkesmatta utbredd ovanpå glasskärvor. Den förmådde inte täcka mina tankar, tränga undan dem till en plats där de kunde oskadliggöras. Hennes ord flöt därför ihop med varandra och det var omöjligt för mig att urskilja dem på ett tydligt sätt, att verkligen ta till mig dem.

När det blev min tur lät jag mig beröras av en sammetslen penselborste som smekte min hy och gav den samma färg som bärnsten, och det gyllene skimret framhävde mina tunna kinder. Jag häpnade över effekten som det där pudret hade på mitt ansikte: det täckte, men utan att fördunkla den hänförande skönheten i ett pyttelitet födelsemärke som stack ut på det högra kindbenet. Det var en av få saker som jag hade ärvt av pappa. En liten skavank på huden som jag aldrig hade betraktat som ett skönhetsmärke.

"Och nu är det dags för ögonen", förkunnade hårfrisörskan, uppspelt som ett litet barn inför en fin leksak. "Grönt. Grönt gör sig perfekt till din ljusa hy."

Mina läppar darrade. Jag böjde ner huvudet för att svälja en klump saliv, och lät sedan hårfrisörskan lägga handen runt min haka igen. Hennes ansikte var så nära mitt att jag kunde känna den sötaktiga doften av puder från hennes hy. Det var inte en helt angenäm lukt, för den dolde en skämd bismak som påminde mig vagt om de starka odörerna i rummet där farfar hade dött. Det minnet räckte för att jag på nytt skulle se mig omkring, omtumlad av det som höll på att hända. Jag vände blicken mot hårfrisörskan igen och såg henne koncentrerad på verket som hon nu höll på att fullborda i Angelinas ansikte. Hon bet sig i överläppen och hennes ögonfransar, som var konstgjorda och ofantligt långa, darrade av koncentration. När jag såg henne så där, alldeles nära Angelina, deras ansikten tätt ihop, slogs jag av en underlig känsla. De framstod för mig som två trasiga dockor, och det var nästan så att jag sa de två sista orden högt, som om de kom från en obestämbar plats i rummet och inte från en inre röst. Jag kände mig sorgsen utan något verkligt skäl, och tänkte på mamma. Jag undrade om hon var lyckligare än hårfrisörskan. Jag granskade Angelinas harmoniska gestalt bit för bit, det vågiga håret, den utsvängda kjolen och den lilla kroppen som var insvept i samma färg som mogna plommon. Hon log medan hårfrisörskan målade hennes läppar röda. "Nu är det färdigt", viskade hon. Jag tyckte att

136

hon var fantastiskt vacker. Världen gjorde henne ännu inte illa.

Hårfrisörskan förde sedan läppstiftet mot mitt ansikte. Hennes andedräkt doftade av jordgubbskarameller och den fylliga bysten hävde och sänkte sig. Vi såg på varandra under några sekunder, inspekterade varandras ansikten. Sedan vände jag mig på nytt mot min syster och tänkte på dagen då hon föddes. "Du har fött en liten docka, Cateri"', utbrast grannfruarna när de fick se henne. "Var inte skamsen, Tere"', sa de till mig, och manade mig att beundra henne. Det var en dag med strålande sol. Men dagen för hennes födelse hade solen i den här berättelsen, en sol som fortfarande var full av hopp, redan dragit upp livets alla mörka spår.

Jag granskade även mitt eget ansikte i spegeln. Min hy hade färgats i varma och livfulla toner, och ögonen avtecknade sig mot den som en gyttjepöl upplyst av månskenet, glittrande som om de reflekterade ett inre ljus, varmt och gyllene. De var så stora och vackra. Jag tvivlade på att de verkligen var mina ögon.

Jag ville fly från den synen. Det där ansiktet tillhörde inte mig.

"Angelina och jag måste gå nu", hörde jag mig själv säga, plötsligt angelägen om att lämna huset.

"Jag förstår. Men lova att komma tillbaka. Jag väntar på er." Det fanns något bedjande i hennes röst.

Angelina nickade. Även hon såg underlig ut. Kanske hade hennes låtsassjäl tagit sig ut ur hennes kropp och känt igen sig i den där spegelbilden.

"En annan gång", sa min syster. "En annan gång."

Vi gick hemåt med raska steg, stannade till vid vattenbrunnen och gnuggade bort sminket från våra ansikten. Angelina såg omtöcknad på mig, den berusade blicken hos en kvinna som drömmer sig bort, och mumlade sedan: "Jag vill inte leva det här livet längre. Jag vill inte gå i de här skorna. Bara den här klänningen trivs jag i."

"Jag vet, Angelina, jag vet", och så kramade vi varandra, med blöta ansikten och ögon som sotade ner kinderna.

8

När vi kom hem satt Giacomo vid köksbordet med ett glas primitivo i handen, inbegripen i ett samtal med pappa.

"Er far och Giacomo har satt sig i sinnet att bönderna har rätt till baronens obrukade jord."

Mamma kramade en kökshandduk i händerna och var blank i ögonen. Hon lade inte ens märke till det faktum att vi var sena och att våra ansikten fortfarande bar spår av hårfrisörskans sofistikerade sminkning.

Jag skämdes plötsligt. Vilken rätt hade Angelina och jag att tänka på den sortens ytligheter när vår pappa grubblade över så viktiga frågor?

Jag noterade dock omedelbart hur Giacomo såg på min syster. Ett intresse som – det är jag säker på – även hon uppfattade. Jag tyckte mig se ömma ögonkast mellan dem. Instinktivt slog jag ner blicken och stirrade på mina nötta skor och på min urblekta blommiga klänning, men mamma kallade genast till sig min uppmärksamhet.

"Säg det till pappa ni också, flickor, att det inte är så man löser problemen. Att sådana som baronen skulle döda oss allihop."

Pappa drämde handflatan i bordet, böjde sig fram och såg oss alla rakt i ögonen. Jag hade aldrig sett hans blick så glödande. Han ordade om hur ont det gjorde honom att vandra omkring i de fattiga gränderna, att se de modfällda människorna som fruktade för sitt liv. "Och så de övergivna fästmörna. Precis som Lollina. Vem tror ni bär skulden? Giacomo, du förstår mig. Du vet vad jag pratar om. Vi måste resa oss ur den här skiten."

Han knöt nävarna i ett hårt grepp om tyget på sina byxor. Han föreföll mig oändligt mycket yngre. Trötheten som jag under de senaste åren hade sett målad i hans ansikte var som bortblåst, bortskrubbad med tvättsvamp. Hans allvarsamma uttryck var fyllt av vrede men också av beslutsamhet, som om han efter att ha mött Giacomo inte längre behövde anstränga sig för att spela en roll. Den unge mannens uppdykande tycktes ha räckt för att ge honom hans tonfall och utseende åter, den andre Nardos sinnelag, den starke, okuvlige, envise yngling som krigsåren hade begravt och trubbat av. Han hade insett att han hade nått ett vägskäl och att han inte längre kunde vända tillbaka. Det var nu eller aldrig. Orättvisan som rådde i de där trakterna ända sedan Historiens begynnelse, ilskan hos de många försummade folken som bland de snåriga hedarna hade förenats och förlorat varandra, tycktes ha tagit sin boning i pappas bröst.

Även mamma uppfattade den där nya blicken, det resoluta uttrycket hos den som inte har för avsikt att vända tillbaka. Hon böjde sig för fakta och slängde kökshandduken på golvet, träffade en kackerlacka som ilade över klinkern och mosade den sedan under träskon, två tre gånger. Hon svepte med blicken över rummet och började fara runt i köket. En osalig ande som irrar omkring som om den hade ett straff att avtjäna. Man kan inte fly från minnet. Rummet, sekretären med fotona av de döda, de flagnande väggarna: varje sak låg som en tyngd över henne tillsammans med de primitiva rädslorna. Hungern, modern och fadern som hade satt henne till världen, grannskapets gamla ragator, farmor Assunta som hade läst skuldkänslorna i hennes ansikte, baron Personè.

140

Var hon rädd för vår pappas skull eller för baronens? Till sist hade skammen uppslukat och tillintetgjort henne. Det förhåller sig så att om saker och ting inte yppas så betyder det att de inte har inträffat. Inget mänskligt andetag hade någonsin haft befogenhet att sätta samman meningen: "Jag bedrog er far. Jag gjorde det för er skull, likväl gjorde jag det." Inget intellekt hade haft befogenhet att konstatera att hon var en bedragerska, som – även om det var på grund av hunger och, återigen, på grund av kärlek – hade prostituerat sig. Det är allt.

När hon var färdig med att flänga omkring i köket och irritera de gamla spökena, satte hon sig ner och betraktade Angelina, och sedan omedelbart efteråt Giacomos hänförda blick. Hon hade förstått allt. Kärleken som gör en omtöcknad och har samma kraft som vatten när det översvämmar jorden.

"Du har rätt, Nardi'. Det är vad som måste göras. Ockupation. Ta marken från härskarna. För våra barns skull. Stackars Lollina. Nenenna. Vilken sorts framtid har hon att vänta, flickebarnet?"

Hon talade i stackato, nästan som om orden inte fann en logisk följd. Likväl var innebörden av det hon sa tydlig. Barnen växte upp och allt föräldrarna såg var liv som svävade i fara. Lagarna som styrde våra liv visade oss ingen nåd. I grund och botten hade jag alltid vetat det. Kanske var det därför jag stammade när jag yttrade mig om något, ständigt ängslig över att inte få tag på de rätta orden. För de rätta orden existerade inte. Jag var en av de mest tystlåtna flickorna i Copertino, inte direkt sjukligt stum, som de där som måste få orden utdragna med tång, men en som öppnade munnen bara när hon blev tilltalad och om hon verkligen hade något att säga. I ett kvarter där människor inte gjorde annat än spekulerade om allt som hände, fördömde eller lovordade, var den väl avvägda tystnaden det allra bästa skyddet.

"Den som pratar lite får mycket gjort", sa farmor Assunta när någon förhärdad pratmakare, såsom Nenenna, ifrågasatte mitt sätt att vara. Av samma anledning sydde jag mig själv oansenliga plagg, bar håret i sjaviga frisyrer, lät lojt dagarna rulla på. Men då och då, i sömnen, föreställde jag mig själv annorlunda, iklädd min systers taftklänning, det blonda håret lagt i mjuka lockar och ögon som gav ifrån sig ett ovanligt ljus. Själen i mina drömmar vände sig om, såg på mig och skakade på huvudet. Jag skrek åt den: "Vad gör du här? Stick härifrån!" Drömmen avslutades med ljudet av sciroccovinden som fick fönstren att slå och med en behagfull gestalt som sprang i gränden. Det var jag, tio år gammal, som följde efter min systers vålnad.

9

"Har du sett vilka blickar Giacomo ger dig, Angeli'?"

Vi satt tillsammans i köket alla tre, sysselsatta med att laga pappas byxor och skjortor som arbetet ute på fälten reducerade till håliga och sönderrivna trasor. Kvällens lugn gav själarna ro. Från andra sidan draperiet hördes pappas avslappnade andetag. Även gatorna var tysta och stilla och baronens gods kändes avlägset, liksom hans maktmissbruk.

"Men vad pratar du om, mamma?" Angelina lade ner skjortan i knäet och såg ut mot gatan.

"Det är inget fel med det. Vid sjutton års ålder är man redan kvinna. Det kan väl även du intyga, Tere."

Jag hade sett de där blickarna som talade ett språk som inte behövde några ord.

"Mamma har rätt. Giacomo ser på dig så som män ibland ser på kvinnor."

"Och vad vet du om det?"

Angelinas tonfall var föraktfullt och påminde mig om den giftiga tunga med vilken hon som barn brukade pika mig för min stamning och för min skygga läggning.

"Angelina, lyssna på mig. Giacomo är en bra pojke. Bättre än många andra häromkring."

Mamma hade tagit hennes händer i sina och kramade dem ömt.

"Teresa är äldre än jag. Det är väl hon som först och främst ska tänka på sådana saker. Jag vet inte vad jag ska med de där fattiglapparna till."

Mamma stelnade till. "Är det så du ser på din pappa också, som en fattiglapp?"

Angelina reste sig, gick bort till diskhon och lade händerna mot bänkskivan. Jag såg på henne, de kurviga formerna under bomullsnattlinnet. Man kunde ana de breda höfterna och den smala midjan. Angelina klarade inte att vara som vi andra. Hon hade en ytterst livlig fantasi, förlorad som hon var bland sidorna i böckerna hon läste. Hon befann sig på exotiska platser och simmade i fjärran oceaner, och lyckades därmed stänga ute tjattret från grannfruarna och från farmor Assunta medan de satt och stickade, till och med de eldfängda samtal som pappa förde med Giacomo. I hennes ögon var den unge mannen med de släta kinderna och de fina anletsdragen bara en i raden av olycksfåglar i den värld som hon hatade av hela sitt hjärta. Även om hon inte kunde neka till att häxans systerson var stilig skulle hon, om hon hade kunnat, ha sjasat bort honom som en irriterande insekt.

"Du förstår inte, mamma. Det här handlar inte om pappa. Det handlar om mig. Jag kommer aldrig att vilja ha någon som Giacomo."

Mamma suckade. "Har jag någonsin berättat för er om när jag träffade er pappa?" Hon blickade ut mot den runda, lysande månen som tronade ovanför takåsarna. "Jag var som du, Angelina", sa hon lugnt, och vände för en kort stund blicken mot henne. "Jag föraktade varenda man här i trakten. Jag promenerade runt som en fin fröken som kände sig förmer än de andra kvinnorna i Copertino. Livet hade redan berövat mig så mycket. Jag var övertygad om att det som jag saknade men inte kunde få var jag tvungen att tillskan-

144

sa mig, utan att göra några eftergifter för någon."

Jag såg henne framför mig, min mamma, som med stolt hållning och högburet huvud gick och vickade på höfterna genom gränderna. Det vågiga håret, den utsvängda kjolen och den tunna blusen. I mitt huvud hade kvinnan som senare skulle sätta mig till världen ständigt ett leende på läpparna, som om hennes mungipor var dragna uppåt av en osynlig tråd som ville röja livets alla bitterheter ur vägen för henne. I mitt huvud var hon som skådespelerskorna på vita duken. De amerikanska. Hon spankulerade omkring bland marknadens salustånd med sin förnäma uppsyn, och männen som hon gick förbi tog sig för bröstet och suckade: "Så vacker du är, Cateri." Hon avskydde att vara instängd i huset, sysselsatt med att skrapa bort hönsskit från gårdsplanen eller skura latrintunnan. Hon tyckte om när de skickade ut henne för att handla. Då förgyllde hon kinderna med puder och klädde upp sig, och hon brydde sig inte om att de svartklädda grannfruarna blängde på henne och tisslade och tasslade sinsemellan, som småflickor som viskar hemligheter till varandra, med händerna för munnen. En drottninglik kvinna som beundrade sig själv i vattenpölarna. Finklänningen som gjorde sitt yttersta för att försköna magerheten orsakad av svält och umbäranden. Spetsiga nyckelben, benknotor som putade ut under skinnet. Men hennes ögon lyste. I mitt huvud såg min unga mamma ut som Angelina. Jag såg framför mig även pappa, med blankputsade skor och en tandpetare mellan läpparna.

Under tiden som mamma med drömsk blick berättade om dagen då de träffades, vandrade mina tankar till deras bröllopsfoto.

"Det var skyddshelgonets högtidsdag och det regnade", sa hon.

Hon hade tagit skydd intill Nunzias syateljé, men takutsprånget var smalt och regnet tog sig in.

"Jag var dyngsur när han gick förbi mig."

Han hade sett på henne först, sedan mötte hon hans blick.

Till en början var det en stum scen som utspelade sig mellan dem. Han som höll upp sitt paraply för henne och hon som bara såg på honom. Till slut hade han frågat: "Kan jag hjälpa er, fröken?"

Herregud, så stilig han är, hade hon tänkt, och sammanfattat allt i en suck. Han hade ett ärligt ansikte och de stora, fylliga läpparna var krökta i ett ljuvt leende. Håret var bakåtkammat och avslöjade en hög panna. Kvinnan som skulle sätta mig till världen lät sig eskorteras till kyrkan för att beskåda statyn av helgonet.

"Och sedan den dagen har vi inte lämnat varandras sida."

Angelina och jag lyssnade under tystnad. Det fanns så mycket skönhet i hennes berättelse att vilket ord som helst från oss skulle ha solkat ner den. Vi gav henne varsin kyss på pannan och lämnade henne sedan ensam vid fönstret, där hon blev sittande med blicken fäst på månen och tänkte tillbaka på sitt förflutna.

Men när jag senare låg utsträckt på madrassen kunde jag inte somna. Jag kände nattens fukt som trängde in genom dörrspringan och förde med sig dess läten: klirrande ljud, enstaka frasanden, utdragna hundskall. Jag var ängslig och visste att anledningarna till oroskänslan var många, men framför allt bottnade den i Giacomos intresse för min syster.

Den lilla flickan som brukade staka sig på orden, som sprang över köksgolvet och jagade systern som retade henne; hon som lekte med trasdockan och föreställde sig att hon berättade sina föräldrars historia för den, hon som tyst betraktade, en stum åskådare till andras liv, var densamma som i det ögonblicket stirrade upp i taket och sedan fäste blicken på Angelina. Hennes kropp ryckte till emellanåt, de lugna andetagen upphörde plötsligt för att sedan börja om igen efter korta andningsuppehåll.

Vad drömmer du om, lillasyster?

Tiden förändrar oss, men den utraderar inget; på sin höjd lägger den till lager på lager.

Den unga kvinnan som jag var på den tiden, kvinnan som jag är idag, är båda frukten av den där lilla flickan. Men jag visste att något inom mig hade vaknat till liv den dagen som jag träffade häxans systerson. Ett slags melodislinga dansade runtomkring mig vart jag än gick, hindrade mina steg, genljöd i mitt huvud; hur mycket jag än försökte utplåna den, var den likväl där. Rörde det sig måhända om samma känsla som mamma hade upplevt den där regniga dagen?

Jag klev omtumlad upp ur sängen och gick bort till sekretären för att krama mina föräldrars bröllopsfoto i händerna. Jag satte mig på knä på golvet, under fönstret, så tyst jag kunde för att inte väcka någon. Jag blev varse en underlig, pirrande känsla som började i fingertopparna och spred sig ut i armarna ända tills den nådde varenda del av min kropp. Den kom och gick i snabba, oregelbundna vågor. Mamma var så vacker. Håret var fäst i en elegant knut och omgav hennes huvud som en gloria. Pappas blick var genomträngande, näsborrarna en aning vidgade ovanför en fyllig överläpp. Ett vagt leende krusade hans breda mun, som när man är väg att brista i skratt.

För ett långt ögonblick kunde jag inte göra annat än stirra på fotot, utan att känna någonting alls. Sedan, långt senare, lyfte jag blicken och såg ut mot gränden utanför fönstret.

10

Dagen därpå, i gryningen, gav sig männen av till fälten som de hade beslutat sig för att ockupera. De färdades på cykel från en lantegendom till en annan och tillryggalade tiotals kilometer om dagen.

Vi kvinnor samlades på Piazza del Popolo.

"Så, vad gör vi nu?" frågade Nenenna, den första av oss att säga något, och satte händerna i midjan.

Lollina hade fortfarande inte återhämtat sig efter Den sveddes försvinnande. Hon var så späd att hon såg ut som en fjäderlös fågelunge och hennes hy var askgrå, men den dagen ville hon vara där med oss. Även don Beppe och tyghandlaren Pinuccio infann sig på piazzan. De ville inte beblanda sig med böndernas affärer, men var nyfikna på att se hur det där företaget skulle sluta.

Giacomo hade gett sig av i sällskap med pappa. Jag såg framför mig hur de tillsammans trampade fram på sina cyklar ända bort till Arneos rodnande kullar; eller åt andra hållet, i riktning mot det ljusblå havet − som från en viss punkt dök upp bakom varje krök − längs med de prunkande sädesfälten eller olivlundarna, bland de snärjiga blommorna i det höga gräset eller genom skogarna av järnek som var gulfläckiga av taggiga ginster.

"Baronens lakejer kommer att skjuta dem", konstaterade don Beppes dotter bistert.

"Jag känner dig, det är likt dig att säga en sådan sak", sa Angelina med föraktfull ton. "Du är som en fladdermus. Du håller dig alltid i skuggan, och därifrån utdelar du dina domar."

De såg på varandra några sekunder.

"Gräla inte nu", inflikade farmor Assunta, "vi har redan nog med bekymmer. Vi kvinnor måste hålla ihop, för våra mäns skull."

I täten av rebellgruppen gick Baggen. Som den brinnande kommunist han var, såg han böndernas väckelse till medvetenhet som epokgörande. "Idag skriver vi Historien", hade han triumferande utropat medan han med stor inlevelse tog det första tramptaget på cykeln.

Och så hade de gett sig av. En grupp hjältar utan vare sig sköldar eller lansar.

Timmarna gick, och så småningom tvingade den brännande vårsolen oss att fläkta oss med våra förkläden och snusnäsdukar. De äldsta kvinnorna, som var invirade i sina tjocka svarta svepdukar, drog med fingrarna längs halslinningen för att lätta på den strama knäppningen. Vi trängde ihop oss i skuggan av klocktornet. Farmor Assunta plockade upp en bit torrt bröd ur handväskan och vi skickade runt den mellan oss. Ingen av oss dristade sig till att gå tillbaka hem.

Det var nästan lunchtid när vi på långt håll fick syn på don Mario, San Giuseppe-kyrkans församlingspräst. Han stegade fram med ett hårt grepp om tyget på sin prästdräkt, men han var gammal och det syntes att de taniga benen darrade i sin strävan att skynda på stegen.

"Ge er av härifrån, de har skjutit. De har skjutit. De tog dem." Hans allvarsamma stämma ekade över piazzans vita stenplattor och nådde oss som ett ljud från en parallell värld.

Farmor Assunta slet sitt hår. Barnmorskan slog sig på bröstet och Lollina började frenetiskt göra korstecknet, för det grymma ödet hade slagit till igen. Angelina och jag såg panikslaget på mamma, men det fanns inte tid för att prata. Några av grannfruarna började springa, som en flyende hjord, mot don Mario.

"Kyrkan. Vi tar oss till kyrkan. Måtte Sankt Josef hjälpa oss!" skrek prästen på avstånd.

Även jag började springa, tätt intill mamma. Angelina hamnade på efterkälken för att stötta farmor Assuntas ostadiga steg. Jag vände mig om flera gånger och såg på dem med skräck i blicken. Jag tänkte på pappa och även på Giacomo. Jag var inte redo att mista någon av dem.

Då och då ropade någon av kvinnorna sin sons eller sin makes namn, några bokstäver som hängde kvar på spikarna innanför husväggarna i tuffsten. Kyrkklockorna började ringa frenetiskt, som ett nödrop till ortsbefolkningen och, nästan unisont, tilltog kvinnornas klagosång och blev till ett dån. Varenda grannfru började gråta och snyfta, vräkte bittra ord upp mot himlen och svor åt paradisets helgon till den grad att don Mario, som inte tordes vara till hinder för kvinnornas utbrott, nöjde sig med att göra korstecknet inför varje nytt skymford.

Sedan trängde vi alla ihop oss inne i kyrkan. Även don Beppe och tyghandlaren Pinuccio kom in men blev stående i sista raden, som om de inte ville förstöra vår smärta.

Prästens långa klädedräkt frasade mot kyrkans spruckna golv, i takt med hans artritiska knäns svajiga rörelser. Don Mario tände alla vaxljus och gick ner på knä framför altaret med ansiktet nedborrat i händerna.

Jag började tänka att jag hade fått ett tecken kvällen innan. Jag hade klivit upp ur sängen och greppat fotot av mamma och pappa som unga för att hans, min fars, ansikte skulle inpräntas i mitt minne. Pappa var död. Baronens lakejer hade dödat honom, och jag hade känt det på mig på samma sätt som häxan kände på sig saker medan hon var i livet. Men mina tankar gick mycket längre än så: kanske hade baronen avsiktligt valt ut honom, Nardo Sozzu, eftersom han under kriget hade tagit hans fru; han hade gripit tag i hennes kött, gett henne pengar och utsökt mat medan de andra fick nöja sig med ett ynka ägg. Det här var baron Personès hämnd. Om han inte längre kunde få henne, Caterina Sozzu, så skulle han ta honom.

Jag skakade på huvudet och blundade. Verkligheten tycktes så lätt att begripa, likväl ville jag inte tro att det var så det hade gått till.

Jag såg på de andra som satt på kyrkbänkarna med nedböjda huvuden. Gamla kvinnor med gulnade ansikten, nedslagna, halvdöda och utmattade av hetta, magra, nästan som om deras umbäranden redan hade förtärt dem. Varje nytt dödsoffer som kriget i Arneo skördade var en outhärdlig förlust för var och en av dem. Var det så de unga fruarna och mödrarna hade känt sig under kriget? Våra fäder, makar, bröder såg på oss från fotografierna. Vi visste inte om de någonsin skulle hålla om oss igen, om de någonsin skulle fylla tjugofem, trettio, fyrtio år och se sina döttrar bli kvinnor och i sin tur hustrur.

Under livet har jag lärt mig att alla avskedsord är varandra lika, men i själva verket är varje förlust olik den andra; det enda som är identiskt är hålet som har rivits upp i hjärtat, oförmöget att omfatta så många avsked.

Om jag den dagen hade tvingats välja mellan pappa och Giacomo, hade jag inte kunnat säga vilket hål som jag hoppades skulle rivas upp. I grund och botten var häxans systerson ingenting för mig, våra blickar hade inte en gång mötts, men inte ens från det där intet hade jag kunnat avstå.

Jag var försjunken i de här tankarna när uppbragta röster

hördes utifrån gatan. Vi störtade ut allihop.

"Nardi'!" skrek mamma.

"Min son, min son!" Farmor Assunta sprang genom kyrkans långskepp med händerna om ansiktet, så snabbt hennes ben förmådde.

"Pappa!"

Två män gick bredvid och stöttade honom. Hans fötter släpade slappa mot den vita stenen som två stumpar utan kraft, men han levde. Pappa levde.

"Cateri'", lyckades han få ur sig och lyfte blicken.

Han hade ett sår i pannan, antagligen åsamkat av en gevärskolv. Han gav henne ett omtöcknat leende, innan hans huvud föll ner igen.

"Min son, min son!" skrek farmor Assunta igen.

Ordet "son" framstod kanske för henne, i det ögonblicket, som den allra kraftfullaste amulett för att skydda min pappa från olyckor.

"Vi måste få hem honom, skynda er!" sa mamma jäktat.

När de ledde pappa genom köket för att lägga honom på sängen grimaserade han av smärta.

"Håll flickorna på andra sidan", sa han till de andra kvinnorna, som gick som en kortege bakom pappas lealösa kropp. Sedan drog de för draperiet och Angelina och jag hindrades från att se vad som hände på andra sidan tygsjoket.

En grupp andra män anlände, ledsagade av don Mario.

"Vad mer har hänt?" frågade Nenenna.

En av lantbrukarna tog av sig hatten som han hade nedtryckt över pannan och sneglade åt barnmorskans håll.

"Vem?" skrek hon.

"Vem?"

De var två som talade, och de delade upp orden mellan sig.

"De sköt", sa den förste.

"De träffade honom", sa den andre.

"Baggen klarade sig inte", sammanfattade de i mun på varandra.

11

Baggen var inget helgon, det visste vi allihop, men det hindrade inte barnmorskan från att bestört se sig omkring, att förfärat ropa sin makes namn, som om han var den bäste man som vandrat på denna jord.

Hon störtade ut på gatan och sprang bortåt, följd av Nenenna och några av de yngre kvinnorna. Även fåglarna hade känt på sig katastrofen, för de lyfte från marken alla tillsammans och lämnade ett moln av fjädrar efter sig.

Även jag lämnade huset. Jag visste inte vad jag letade efter, men mina ögon flackade åt alla håll. En föhnvind hade börjat blåsa genom gränderna och luften fräste som när het olja kommer i kontakt med vatten. Man kunde känna doften av ugnsstekt kött, en intensiv arom som kom och gick beroende på vindens riktning. Någon var i färd med att steka ett får.

"Det är härskarens lakejer", mumlade en bonde och såg mig rakt i ögonen. Hans blick var full av vrede. "Efter att de hade klätt upp och mörbultat oss blev han hungrig." Han slängde iväg en spottloska som landade alldeles intill hans ena fot.

"Och Giacomo?" frågade jag. "Häxans systerson …"

Bonden tog några kliv framåt i gränden och lyfte blicken mot duvorna som satt uppflugna på taksprånget på ett hus. "De tog honom. De förde bort honom. Levande, han var vid liv, men de slog honom med gevärskolven och lyfte upp honom på en häst."

Jag kände hur jag vacklade till men återfick balansen, stärkt av min systers hand som rörde vid min axel.

"Pappa vill träffa oss."

Mamma hade redan fått av honom kläderna och tvättat honom, och farmor Assunta satt hopsjunken på stolen och vakade över honom. Hon mumlade tacksägelser till skärseldens själar för att de hade räddat hennes son, som var illa tilltygad men vid liv. Grannfruarna hade slagit sig ner i en halvcirkel runtomkring honom och mamma såg på dem en och en. Det här var kvinnorna som hade delat krigets mödor, som hade sneglat förstulet på henne, insvepta i sjalar för att deras viskningar skulle förbli hemliga. Förtalet, brukade farmor säga, fanns överallt.

Mamma ställde sig rakryggad vid pappas sida, som om hon ville demonstrera för alla att hon nu fanns där på samma sätt för sin make, att hon inte skulle vika från hans kropp som stank av blod och av lera.

"De tillfångatog Giacomo", sa pappa.

Jag granskade Angelinas ansikte för att se hennes reaktion på nyheten, men såg ingen sådan. Den där förlusten, om det som sades stämde, skulle inte orsaka så mycket som en skråma i hennes bröst.

Grannfruarna återupptog sitt tisslande och tasslande, väste fram viskningarna i varandras öron som en kort bön. Farmor Assunta, för sin del, avbröt för ett ögonblick den långa ramsan av tacksägelser till själarna i den andra världen: "Arme man, han förtjänade inte det."

Som i en form av respekt för häxan sträckte hon plötsligt på sig, rätade på ryggen och sköt fram bröstet, som om hon satt på en tron med flätad sits. "Den store äter den lille", fastslog hon. "Så har det alltid varit. Och om den lille försöker bli stor, hämnas den store."

Grannfruarna upprepade de här trösterika orden sinsemellan: "Den store äter den lille", sa de, den ena efter den andra. De drogs till vårt öde, det hade vi förstått för länge sedan. Medan de nötte in det där primitiva begreppet nickade farmor Assunta, med en lätt darrning på nacken, där hon satt upphöjd på sin tron av halm.

12

När Baggens döda kropp återlämnades till hans släktingar slet barnmorskan sitt hår i förtvivlan.

"Jag fick tillbaka honom i en kista", vrålade hon.

Han var sårig och lite svullen i ansiktet, och gav ifrån sig en lukt av svavel och rök blandat med en stank av ruttet som lade sig över doften från blommorna som placerats runt kistan. Ingen tyckte om Baggen, men vi kom alla till hans begravning. Och alla grät vi.

"Nu är han i paradiset med helgonen", sa farmor Assunta för att trösta änkan. "Där han är nu finns det inga orättvisor."

Barnmorskan nickade och sa: "Tack, tack allihop."

Hon lyssnade till varje tröstande ord och instämde, men när tyghandlaren Pinuccio drog in ödet i det hela och sa att var människas historia redan är skriven, började hon skrika och svära som aldrig förr. "Ödet existerar inte", skrek hon. "Vi är själva vårt öde. Man kan inte göra revolt mot härskarna", och så kastade hon ett snett öga på min pappa.

På den här tiden trodde jag inte på ödet. Jag var på mitt eget vis övertygad om att vi själva var vår egen lyckas smed, men numera tänker jag att vi inte har den makten. Vi kan bara bestämma hur vi hanterar det som händer oss.

Under begravningen höll jag blicken fäst på mammas hand som hårt kramade pappas. Hon hade fått tillbaka honom levande och ville inte låta honom ge sig av från oss igen. Hennes ansikte var blekt, bortsett från nästippen som var röd och skvallrade om att hon hade gråtit mycket. Kanske vandrade hennes tankar ibland till Giacomo och vad de kunde ha gjort med honom. Jag undrade hur många av människorna på orten som kände medlidande med häxans systerson och sorg över ödet som hade drabbat honom. När pappa försökte säga till alla att de måste anmäla baronen för Giacomos försvinnande, slog de ner blicken.

"Om du gör det kommer baronens lakejer och dödar dig", sa mamma.

Då slog även pappa ner blicken som tecken på kapitulation. Hans vrede gnistrade för ett ögonblick till som glöd i mörkret, men slocknade sedan. Tysthetslöftet hade än en gång segrat.

Dagen efter Baggens begravning erbjöd jag mig att gå till don Beppe och köpa kryddor. Om någon nyhet hade läckt ut var det enbart i den skvallerbutiken som jag kunde få reda på det. Giacomo måste vara i livet, bortom tidens oförtrutna långsamhet. Jag måste bara vänta. Ingen visste någonting. Don Beppes dotter bara ryckte på axlarna inför mina frågor. Aldrig förr hade jag sett så mycket överseende i hennes djävulsansikte.

Hela veckan förflöt, och dagarna var så långa att de aldrig tycktes vilja ta slut. Pappa återfick sina krafter och mamma sitt leende. Det blev slutet av april. Jag gick tillbaka till don Beppe för att köpa en näve torkade fikon och lite kanel. Jag mötte dotterns blick och hon skakade på huvudet. Hon visste redan vad jag skulle fråga. När jag kom tillbaka hem föreslog Angelina att vi skulle gå till hårfrisörskan och få håret fixat. Hon ville ha på sig sin taftklänning igen. Jag sa helt kort nej, jag hade inte ork nog att gräla med henne. Det kändes som om en andra kropp tog form runtomkring mig, dold inuti den första som ett underliggande skikt av kött, som varseblev saker mer på djupet, förnam dem tydligare, hade intuitioner, föraningar, det tunna hölje av känslor som den första kroppen inte förmådde tolka. Bara mamma lyckades se det underliggande skiktet.

"Du har sorg, Tere"', sa hon en kväll, tyst så att Angelina inte skulle höra.

"Hur kan hon inte tänka på det? Hon verkar förnöjd. Bekymmersfri", sa jag.

"Din syster är inte ond, hon är bara olik dig. Hon känner sig annorlunda beskaffad och vissa gånger är det en gåva, andra gånger är det en förbannelse."

Jag tänkte på hur hon tillbringade kvällarna sittande intill fönstret. När lugnet lade sig i huset läste hon sina noveller i skenet från ett stearinljus. Hon tyckte om de komplicerade kärlekshistorierna. Hennes ögon slukade varenda rad och mening. I vissa stunder avundades jag henne, för hon kunde befinna sig i vilken värld hon ville. En gång prövade jag också att läsa en av de där berättelserna som hon tyckte så mycket om, men jag slutade efter bara några sidor. Jag föredrog att betrakta henne. Hennes glupska blick som plötsligt blev blyg och förbryllad. Jag låtsades gå därifrån men stod kvar bakom sekretären och iakttog henne. Jag betraktade Angelina som läste och mamma som sydde och fick intrycket att de var två fulländade varelser. När sedan alla låg försänkta i halvslummer stirrade jag på fotot av mamma och pappa. Den unga kvinnan som log blygt, med hopp och rädsla i ögonen, iakttog mig obevekligt, med sin oskuldsfullhet och ohjälpliga distans, och med blicken sänkt. De nästan omärkliga ljuden från gatan smög sig på och förde mig tillbaka till verkligheten. I de stunderna kände jag att jag hatade allt, Copertino, baronen, till och med Baggen. Angelina och mig själv.

Jag erkände aldrig för mamma vad det var som orsakade det där tumultet i mig, men jag har alltid tänkt att hon förstod allt, kanske till och med innan jag själv gjorde det.

Och så en morgon kom farmor Assunta hem till oss med andan i halsen.

"Baronen, baronen är på piazzan!"

Pappa var ute på fälten, precis som många andra av ortens män.

Det var vi kvinnor som begav oss till piazzan, tillsammans med barnen och gamlingarna, men i sakta mak, nästan som om skådespelet som väntade oss hade gjort oss betryckta redan innan vi kunde beskåda det. Hjärtat bankade vilt i mitt bröst. Angelina kom fram till mig.

"Du ska se att han lever", sa hon och kramade min hand, och i det ögonblicket kände jag på nytt att hon var min syster.

Hon hade tyst bevittnat min smärta, men nu erbjöd hon mig sin tröst, precis som när vi var små och höll om varandra i sängen och bad att pappa skulle komma tillbaka. De gamla kvinnorna strök längs husväggarna för att undkomma solen. Mamma höll oss tätt intill sig, och jag kunde känna de andra kvinnornas kroppar mot min hud: de stank av svett, av lök och av talk som de hade pudrat sig med för att täcka allt så gott det gick.

Jag mådde illa.

Då och då ropade någon av de gamla männen Baggens namn, hesa väsningar som blev hängande i luften. Då snörvlade mamma, ett slags lång inandning för att hålla tillbaka gråten: "Jag ska döda honom, det usla kräket, den brodermördaren", sa hon tyst för sig själv, men de andra kvinnorna slöt upp runt henne för att få henne att lugna sig.

"Det tjänar inget till att fler dör", sa de allihop, återigen ett monotont, dämpat mummel som spreds från mun till mun.

På långt håll fick vi syn på fyra hästar som stod stilla på piazzan. Några äldre män stod i ring runtomkring och glodde på dem. Uppe på den högsta hästen satt baronen; bakom honom en av hans lakejer med koppärrigt ansikte och ett öga som skelade, och så en ung man med ett slätt, feminint ansikte och glittrande ögon. En tjock kalufs ovanför en hög panna, som påminde om baronens sträva och täta hårburr. Längst bak i ledet befann sig ytterligare en av lakejerna, med en hopsjunken och smutsig kropp bunden bakom sig.

"Giacomo", viskade jag. Och aldrig har jag som i det ögonblicket känt mig så hårt sammanbunden med honom, av en tråd som var osynlig och skör, men verklig.

Baronen sa inte ett ord och höjde ena handen för att tysta kvinnornas och gamlingarnas tissel och tassel. Han tog av sig patronbältet som pryddes av ett spänne i massiv koppar, snurrade det runt sin hand och drämde det hårt mot stöveln så att det ekade över piazzan som ett gevärsskott.

"Det som skedde borde inte ha skett. Det var en olyckshändelse", förkunnade han. "Men så går det när någon otillbörligen börjar hävda sina rättigheter. Det slutar med att man mister sitt levebröd, sitt anseende, vissa gånger till och med sitt liv."

Hans ansikte var förvridet i ett elakt grin som gjorde honom så avlägsen bilden av den anständige man som hade hänfört mig och Angelina som små.

"Ni ska få tillbaka den här unge mannen", sa han och tecknade åt sin hantlangare att kasta ner Giacomo på stenplattorna. "Han är inte härifrån, han vet inte hur saker och ting fungerar här. Om det finns någon bland er som bryr sig om honom, gör den klokt i att lära honom reglerna."

Han sökte efter mammas blick och böjde ner huvudet i tecken

på vördnad. Mamma svarade med att vrida på huvudet och spotta på marken.

"Det här är min son", tillade han sedan, och pekade på den unge mannen bakom sig. "Han har studerat många år i norr, och lämnade sina hemtrakter redan som barn. Det är en annan värld däruppe, en modern värld." Han snurrade med pekfingret i luften, som en läromästare som lär ut visdomsord. "Det är inte alls som här hos oss. Men som ni vet kan vissa saker inte förändras. Det vore inte bra om de förändrades. Ni har alla fram till nu hyst respekt för mig. Nu ber jag er att hysa samma respekt för min son. Han bär samma namn som min far, Giuseppe. Don Giuseppe Personè."

Giuseppe Personè. Jag hade sett honom några gånger som barn. Angelina var för ung för att kunna minnas honom. Det hade hänt i San Giuseppe-kyrkan, under firandet av skyddshelgonet. Baronen hade fått sin son välsignad av prästen som snurrade runt honom med vigvattenkvasten. En gång hade till och med våra blickar mötts, min och den lille baronens, och vi hade omedelbart förstått att vi inte var av samma sort. Jag som var iklädd kläder som hade tärts av ljus och av damm, med tunt och sprött hår, blyga ögon, och han som stod uppe på altaret och läste en sida ur Evangelierna med hög och klar stämma. Han var duktig på att läsa, det lät högtidligt. Han var baronens son. Jag var den lilla Teresa Sozzu. Hans och min historia var väsensskilda.

Giacomo gjorde en ansats att resa sig upp. Jag såg hans mörbultade ansikte och ena ögat som var rött och svullet. Han vände sig mot baronsonens häst och spottade åt hans håll. Far Personè snurrade genast patronbältet runt sin näve igen och fick än en gång en smäll att eka över piazzan, en smäll som den här gången träffade ryggen på häxans obetänksamme systerson. Jag kände hur min mage vändes ut och in, som ett hårt knytnävsslag som fick mig att tappa andan.

Mamma och farmor Assunta skyndade fram till Giacomo för att hjälpa honom upp och föra honom i säkerhet. De tecknade åt de andra kvinnorna att hjälpa till, men de blev stående tysta utan att röra sig ur fläcken, med armar som hängde och dinglade som oanvändbara stumpar. Vem var egentligen häxans systerson för dem? En simpel främling.

Jag kände hur mina ben gav vika under mig, för min kropp hade stelnat under tyngden av den där synen, magen var fortfarande hopskrumpen som en bit ylle som sänkts ner i kokande vatten. I det ögonblicket började jag hata baronen, en annan sorts hat än det som jag hade hyst mot honom fram till dess. Tidigare hade det varit samma hat som förenade oss alla. Fattiga mot rika. Härskare mot slavar. Men nu var det annorlunda. Det kändes som om jag slutligen hade trängt in i baron Personès innersta väsen, det där trubbiga som var strukturerat runtomkring ett girigt habegär. Kanske hade det varit så även med mamma. Han hade ägt henne, och den maktkänslan hade säkerligen fått honom att känna ett slags berusning, densamma som han kände när han såg bönderna gå med krökta ryggar och streta ute på hans åkrar. Att ha kontroll över varenda levande själ på sitt urgamla jordagods gav honom också kontroll över sitt eget öde.

Jag slöt ögonen för att låta hatet rinna ut ordentligt i ådrorna, som ett narkotikum, ett lugnande medel i stånd att stilla min andning. När jag öppnade dem igen stod Giacomo alldeles intill mig, stöttad av mamma och farmor. Utan att säga ett knyst övervakade jag avståndet som skilde våra förstenade kroppar åt. Han såg på Angelina och det besvärade mig inte. Jag var mycket väl medveten om att mina känslor var väl förborgade i mitt hjärta, den hemligheten var bara min, och den räckte för att jag skulle känna mig lycklig. Jag skulle aldrig kunna hysa någon verklig avund mot Angelina.

Jag älskade henne som om hon var en del av mig, det var nästan så att jag kände henne fäst vid min skugga. Du är min. Jag är din. Så kommer det alltid att vara. Vad som däremot gjorde mig förfärad var att se Angelinas blick. Medan Giacomo och jag såg på henne båda två, stirrade hon på den unge baronen och hon gjorde det med samma drömska uttryck som när hon läste sina noveller. Vad var det med honom som slog an hos henne? Det svarta, lockiga håret som ostyrigt föll ner över den höga pannan? Den djupa och undflyende blicken? Den kantiga käken som skapade en oroväckande kontrast mot de blida ögonen, på ett sätt som jag inte skulle kunna förklara?

"Skönheten är vår förbannelse", viskade jag för mig själv i samma ögonblick som jag insåg att don Giuseppe Personès blick hade fångat henne. Han log mot henne och jag såg hur hennes bröst skälvde till, som om hon hade gripits av en angenäm ängslan. Hon suckade medan hon såg baronens vita häst klappra bort över piazzans stenläggning. Hon måste ha känt sig lycklig som änglarna som inte är av kött och blod, som inte åldras och som ingen kan göra illa.

DEN STORA MOSAIKEN

1

Ytterdörren och dörrkarmarna i mina föräldrars hus är grånade och fläckvis maskätna. Sekretären står fortfarande kvar, men dess runda små ben tycks vackla som ballerinor på styltor. Ute på gården täcks terrakottaklinkern av ett blekgult, fuktigt och klibbigt lager av damm.

"Tiden har flugit iväg", säger mamma och stödjer sig mot min arm. Hon har ställt sig intill mig och tillsammans ser vi på smultronträdet som, fastän det är klent och krokigt, fortfarande lever i vår trädgård.

Under de senaste dagarna har vi promenerat på varenda gata i Copertino. Jag fick intrycket att allt hade krympt, till och med klocktornet som jag som barn tyckte var ofantligt högt.

Igår skred processionen för Sankt Josef fram genom gränderna. Pappa insisterade på att se det: "Det här blir sista gången. Jag vill inte gå miste om det", sa han och rätade på kroppen, sedan snart två månader stel och utmärglad.

Mamma försökte övertyga honom om att det inte var läge. Värmen, trängseln, tröttheten, men han gav sig inte. Han har alltid varit enveten, ända sedan han var ung.

"Vad säger du, Tere'?" frågade han och vände blicken mot mig. I hans ögon, som hade blivit till små smala springor, syntes en substans som var tät som duggregn.

"Jag säger att vi kan göra det, pappa, om du verkligen vill."

Han nickade långsamt och vände sig sedan åt andra hållet, som om han hade svårt att uthärda sin dotters blick.

Han promenerade sakta på vår gata, arm i arm med mamma och mig. En skock svalor flaxade uppe i himlen och pappa lyfte blicken flera gånger för att beundra dem. Då och då log han, som om svalorna hade något slags sanning att avslöja för honom.

"Jag vill höra klarinetten igen", sa han. Klarinetten hade alltid varit hans favoritinstrument. "Jag vill återse husen, kyrkan, piazzan. Alltihop."

Jag förstod att han ville uppleva allt igen för att tillåta sig ett sista avsked, och att åtfölja honom på den resan var smärtsamt och vackert på samma gång. Jag ansträngde mig för att hålla tillbaka tårarna och för att visa mig stark; då och då, medan vi promenerade, vände jag huvudet åt andra hållet och tillät mig att fälla en tår, en endaste. Pappa log tacksamt mot människorna som hälsade på honom, och återgick sedan till att beundra svalorna: "Välkomna tillbaka", mumlade han och följde deras flykt med blicken.

Att se honom så där, i livets slutskede, tvingad till enorma kraftansträngningar bara för att ta små steg, med mödosam andning och resignerad uppsyn, vållade mig obeskrivlig smärta. Under hela mitt liv har jag ständigt försökt finna meningen med något som inte nödvändigtvis hade någon mening.

På sekretären står det tre foton: det första föreställer mamma och pappa på deras bröllopsdag; det andra Angelina iklädd brudklänning utanför kyrkan Santa Maria Annunziata; det tredje mig och min man på vår bröllopsdag. Jag med en liten krans av prästkragar på huvudet och min man med svart dubbelknäppt kavaj och vit skjorta och utan slips. Han ler mot kameraobjektivet och jag har blicken vänd mot honom. Bland alla härliga känslor som jag upplevde den dagen minns jag en extra tydligt: fram till dess hade jag känt mig som en intetsägande typ, en som sedan alltid var fast i statistrollen, men i den stunden kände jag mig unik.

Jag ser på de gamla fotona igen. Hela min familjs invecklade historia har kokats ner till de här tre bilderna.

Medan jag står och betraktar dem kommer mamma fram till mig. "Din pappa är döende, Tere."

Hon tar upp fotot som föreställer dem båda tillsammans under den lyckligaste dagen i deras liv, och suckar. "Tror du mig, Tere', när jag säger att tiden har flugit förbi? En blinkning och så poff, så blir man till aska igen."

Hon talar dämpat så att pappa inte ska höra. Han har sträckt ut sig på den bäddade sängen. Han ville att mamma och jag skulle sätta på honom hans finaste kläder, kavajens blänkande knappar, blankputsade skor. Han bad oss leda honom till spegeln så att han kunde se sig själv så där stilig en sista gång, men fick göra det sittande eftersom han inte klarade att komma på fötter.

"Lämna mig i fred", sa han. "Bara ett ögonblick." Ömheten i hans röst var gränslös.

Vi gick ut i köket och mamma gjorde i ordning kaffe. Jag hörde pappa stilla viska sitt eget namn. Nardo Sozzu. Sozzu Nardo. Han mumlade det medan han granskade sig själv i spegeln, uppklädd och grann, som om han beundrade ett annat jag som var presentabelt, redan dött och redo att begråtas.

Vi sätter oss ner, mamma och jag, och smuttar på kaffet. Tårarna strimmar hennes kinder. Rynkorna runt ögonen tätnar. Jag ser stumt på henne. De silverfärgade slingorna i håret som färgats med schampo från stormarknaden, läpparna som blivit tunnare och antagit färgen av omogna plommon.

"Jag måste berätta det för honom, Tere'. Jag måste berätta allt för honom. Jag lovade din farmor det, minns du? Det är inte rätt att han lämnar oss utan att veta vad jag gjorde."

Jag svarar henne medan jag slår ner blicken. Jag vet inte längre om sanningen alltid är rätt.

Jag reser mig för att tjuvkika på pappa bakom draperiet. Han har lagt sig ner igen och somnat. Nardo Sozzu ser pytteliten ut i den breda dubbelsängen, ett barnlik. Den beniga kroppen drunknar i finkostymen som han reserverade för söndagarna och de stora festerna.

"Dröm sött, pappa. Jag älskar dig."

2

Det var sommaren 1950. Under de senaste månaderna hade Angelina förändrats. Hennes former hade blivit generösare och uttrycket mattare. Även jag hade förändrats. Giacomo hade återhämtat sig från sparkarna och slagen, från skadorna och förödmjukelsen. Han hade åter börjat komma hem till oss regelbundet och äta lunch hos oss på söndagarna. Vad beträffade mig hade jag börjat bli varse ett slags ihållande gnissel inombords, ett främmande och nytt och ljuvt tumult som smög sig på och pockade på att komma fram.

En morgon plockade mamma fram karen som hade undkommit fascisternas plundringståg och fyllde dem med vatten som hon sedan lät värmas upp i solen ute på gården, och därefter rörde hon ner en näve aska och dränkte sängkläderna i det. Det var en operation som hon utförde två gånger om året. I samma vatten klev sedan Angelina och jag ner, och mamma skrubbade vår hud med hårda tag, för att avlägsna varje död cell.

"Mina små flickor har blivit kvinnor", utbrast hon medan hon beundrade våra unga och rosiga kroppar. Hon var fortfarande tilldragande, även hon, men åren gick och hennes ljus falnade långsamt. Hon var en vissnande blomma.

Efter badet torkade Angelina och jag oss inne i sovrummet och blev stående och betraktade varandras nakna kroppar i spegeln. Vi var olika. Hennes höfter var rundade och breda, magen lätt putig,

brösten fylliga. Jag däremot var spenslig, midjan för bred i förhål-
lande till de smala höfterna och brösten pyttesmå, men jag hade
långa och slanka ben.

"Du är så vacker", sa hon till mig, och jag förstod att hon me-
nade det. För första gången i mitt liv trodde jag verkligen på det.

Jag var säker på att kärleken, även om den var hemlig och bara
min, skulle göra mig svagare, men i själva verket kände jag mig star-
kare, modigare, mer självsäker. Angelina såg mig rakt i ögonen när
hon bekände sin hemlighet för mig: "Jag har blivit förälskad, Tere."

Jag höll andan. Jag var övertygad om att det rörde sig om
Giacomo. Deras kärlek för varandra skúlle tillkännages, inom kort
skulle de gifta sig och de skulle få fantastiskt vackra barn. Mina sys-
konbarn, alstrade av mannen som jag älskade i ensamhet, mellan
längtansfulla suckar och bilder som svepte förbi min blick innan
jag somnade. Kanske skulle jag älska honom för alltid och han
skulle älska Angelina. Han och jag, för resten av livet, två fragment
av hennes skugga.

Hon tog mina händer och kramade dem hårt.

"Teresa, jag vet att du inte kommer att tro mig, men det är sant."
Hela rummet snurrade, mitt hjärta var nära att explodera i mitt
bröst. "Jag är förälskad i baronens son. Giuseppe Personè."

Och så berättade hon i detalj vad hon älskade hos honom och
om sin häpnad över att i hans kropp upptäcka olivträdens knotiga
stammar, det där hårda trädet som sticker ner sina rötter i den ste-
niga jorden.

Giuseppe Personè? Mina ben vek sig under mig och rummet
snurrade febrilt. Jag hörde en inre röst som viskade till mig hur
bedräglig den där omöjliga känslan var: den store äter den lille –
var det inte vad farmor Assunta brukade säga? Den kommer att
riva upp ett hål i ditt hjärta, ett hål lika stort som det i väggen på

Trollpackans hus. Alla som såg det gjorde korstecknet och bad till Jesus Kristus att han skulle hålla Satan på avstånd, för det sades att det var djävulen som hade slagit upp den där stora, djupa rämnan i Trollpackans vägg för att ta den gamla skvallertackans själ med sig till helvetet. Även Angelinas hemlighet skulle öppna upp sprickor i husväggarna och sprida gift i gränderna. Eller var kanske inte Personè självaste djävulen?

"Det går inte, Angelina, det förstår du väl? Du kommer aldrig att kunna …" Orden dog bort i min mun. Jag började staka mig på varje stavelse, precis som när jag var barn.

Min syster såg irriterad ut. Hon ryckte åt sig klänningen från sängen och drog snabbt på sig den, nästan som om jag inte längre var värdig en nära förtrolighet med henne. Hennes ögon glänste i en vacker brun färg, redo att göra sig hörda. Jag kunde se glädjen som blandades med skräcken, såsom bottenfällningen blandar sig med det unga vinet. Min privata och undangömda kärlek stärkte mig, hennes gjorde henne svag. I den omvända värld där hon levde inträffade det mirakel, det fanns härskare och slavar som höll varandra i händerna och som satt och åt vid samma bord, det fanns unga män med leenden som gnistrade av friska och jämna tänder precis som baronens. Hennes hjärta hade avsagt sig saker som var av den här världen: kampen för brödfödan, striden om jorden, de mördade männen. Vi kunde gå och dö allihop, med husen som var reducerade till aska, gatorna ett hav av lera och fällda träd. En sörja av damm och löv över vilken hon promenerade med självsäkra och raska steg.

"Angeli, men vad har du ställt till med?" Jag såg klentroget på henne, och kände plötsligt skam över min nakna kropp. En rysning drog längs min ryggrad. "Tänk om pappa upptäcker det? Tänk om baronen upptäcker det?"

Hon ryckte på axlarna. Hon var gråtfärdig men såg på mig utan att blinka.

"Han älskar mig också. Det har han sagt."

3

Från och med den dagen försvann hon in i en yra som fick henne att irra omkring som en osalig ande mellan husets väggar, och drev henne till att upptäcka ljusglimtarna i dunklet och mörkret i strimmorna av ljus. Jag visste att hon varje gång som hon gick hemifrån, under förevändning att hon behövde gå till sömmerskan, gick hem till honom. Jag föreställde mig henne i den unge baronens famn och kände vämjelse.

Det var bara några dagar efter jul, och en livfull atmosfär genomsyrade vårt hem och hela Copertino. En grupp fackförbundsledare hade ställt sig i täten för bonderörelsen som hade för avsikt att ockupera mark. Pappa och Giacomo hade tillbringat de senaste veckorna med att på nytt piska upp sitt engagemang för böndernas rättigheter och för den jordbruksreform som i andra delar av Apulien och södra Italien hade gett delar av härskarnas obrukade jord till bönderna; en reform som dock inte hade nått Arneotrakten.

"Tänker ni inte på Baggen, på Lollinas fästman och på alla goda kristna som har fått betala ett så högt pris för den här kampen?" Men inget av det som mamma sa kunde få dem på andra tankar.

Jag tyckte om att betrakta dem där de satt och brann av engagemang. Jag greps av en belåten ängslan och fyllde luften med suckar. Desamma som jag drog om natten, när jag gick och lade mig intill Angelina och vi länge låg tysta och stirrade upp i taket. Mörkret omsvepte oss och var och en trädde in i sin egen hemliga dröm. Vi sa inte ett knyst men det var som om vi viskade våra älskades namn, och de for genom huset medan de förvrängdes och skränade, och fyllde även gränderna och gatorna med suckar. De vuxna var upptagna av kampen för sina rättigheter, för jord och för frihet. Vi slogs för våra hjärtan. Det var kärleken som styrde våra steg och våra avsikter. Men ingen lade märke till det inre tumult som fick oss att ligga sömnlösa. Det passerade obemärkt som banala tonårsbekymmer.

Uppslukade som vi var av våra respektive hemligheter, deltog Angelina och jag inte i mammas och farmor Assuntas ängslan i gryningen den 28 december, när pappa och Giacomo tillsammans med andra bönder från Arneo och en stor grupp syndikalister gav sig av för att genomföra ockupationen. Jag visste bara att mamma hade tillbringat kvällen vid vävstolen, med blicken stadigt fäst på pläden som hon höll på att väva. Hon arbetade frenetiskt, kontrollerade emellanåt plädens varp och snuddade vid den med fingertopparna, innan hon drog ett djupt andetag och fortsatte att rytmiskt och krampaktigt dra slagbommen mot sig. De regelbundna dunsarna lindrade hennes ängslan. Jag hade inte mod att avbryta henne. Även jag borde ha oroat mig för Giacomo, men jag befann mig mitt i den där speciella tiden i livet då man tror sig vara odödlig. Jag var odödlig, Angelina var odödlig, Giacomo och vem annan som helst som korsade ungdomens oförskräckta vatten var odödlig.

När männen gav sig av i gryningen satt mamma och farmor Assunta i köket och bad. De hade varsitt radband i händerna och ett svart flor på huvudet.

"Vi går ut och hör oss för om det är någon som vet något", sa de efter en stund.

Angelina och jag följde med dem. En hård vind blåste och fick kjolar och löv att fladdra. Några grannfruar stod på tröskeln för att se vilka som gick förbi. De hälsade med en nick och satte sina knutna händer i sidorna. Don Beppe stod utanför sin handelsbod och låtsades vara inbegripen i ett samtal med mannen som ansvarade för skyddsrummet på vår gata och som nu hade blivit gammal och tunnhårig. Hans dotter spionerade på dem bakom kassadisken. Vi travade på alla fyra med axlarna uppdragna innanför kläderna och sjalarna. Vi gick även förbi Trollpackans hus. Farmor gjorde korstecknet när hon såg det stora hålet i väggen. Strax därefter dök den gamla kvinnan upp inifrån det dunkla köket och ställde sig framför ytterdörren för att få en skymt av de förbipasserande. "Demonerna finns i luften", fastslog hon och gjorde korstecknet över bröstet. "Idag är en syndernas dag. Kom sedan inte och säg att det har krävts dödsoffer."

Mamma drog farmor Assunta i armen, men farmor kunde inte hejda sig. Hon gick tillbaka och ställde sig med armarna i kors framför Trollpackan.

"Du är väl knappast rätt person att tala om demoner, du som har Satan inom dig." Sedan spottade hon alldeles intill hennes fötter.

"Vi måste be för syndarna", sa den gamla gumman. "Jag ska be även för dig. Och även för din svärdotter som – det vet vi ju alla – bär på många synder."

Kvällen sänkte sig dyster och kylslagen. Då och då blåste en nordanvind som förde med sig skurar av lätt och kallt regn.

Vi gick hem igen, men ingen av männen hade kommit tillbaka än. Mamma började vanka av och an i huset, till den grad att hon föreföll besatt. Farmor Assunta plockade på nytt upp radbandet och bad Angelina och mig att be tillsammans med henne.

Pappa och Giacomo kom tillbaka i gryningen, utmattade och utsvultna, men helskinnade.

När mamma omfamnade pappa slingrade han sig ur hennes grepp för att se henne i ögonen: "Den här gången kapitulerar de, Cateri'. Den här gången vinner vi. Vi kommer att återvända till fälten med grepen i händerna varje dag, ända tills de ger oss det vi vill ha."

De gav sig av även den 31 december, och till och med på nyårsdagen. Vi hade nästan vant oss vid sakernas tillstånd. De fattade greparna, vi fattade radbanden. Bönerna eller ödet skulle hjälpa oss, det var vi vid det laget övertygade om, men den första dagen på 1951 vände ödet återigen oss alla ryggen.

"Jag känner dig, vi vet vad vi har att vänta", sa man ständigt hemma hos mig. Och så var det verkligen. Vi borde ha kunnat förutse vårt öde, vara bekanta med det, på samma sätt som man känner till tankarna som gnager i huvudet på de människor som omger en varje dag.

Framåt kvällen, medan vi kvinnor satt samlade runt den varma soppan, kom pappa hem med söndertrasade och leriga kläder.

"Vad har hänt?" utbrast mamma.

"Polisen", mumlade han. "De blev förbannade och började dela ut slag åt höger och vänster."

"Åh herregud. Sköt de också?" frågade farmor Assunta.

"Nej, sköt gjorde de inte, men de arresterade några av oss och beslagtog våra cyklar. Jag lyckades fly, men Giacomo ..."

"Giacomo?" frågade jag. "Vad har de gjort med Giacomo?" Jag kände en iskall vindil dra genom mina blodådror, en sådan som fick löven att gulna och träden att bågna.

"De tog honom. Giacomo blev arresterad."

Han pratade fortfarande när vi hörde uppbragta röster sprida sig genom gränden.

"Skynda er, skynda er!" gastade några av grannfruarna.

Vi störtade ut genom dörren. Ett grått moln reste sig över piazzan.

"Vad är det som har hänt?" frågade pappa den första som han mötte på gatan.

"Cyklarna", sa den gamle mannen. "De har lagt dem på hög och bränt dem allihop." Han sa det med gråten i halsen och gned med handen över ansiktet.

"Cyklarna", mumlade pappa.

Angelina och jag såg på varandra. Vad hade vi för rätt att tänka på våra hemliga kärlekar när allt runtomkring oss ödelades?

Den där skraltiga cykeln var det enda färdmedel som pappa och de andra bönderna hade för att varje dag kunna ta sig de många kilometrarna till arbetet på åkrarna. Att ta dem ifrån dem var som att hugga av dem ena armen, stympa dem.

"Giacomo sitter i fängelse, och nu är jag utan cykel."

Han såg mamma rakt i ögonen. Hans egna var blanka av tårar. "Jag är ledsen, Cateri." Det var inte så här jag ville att det skulle bli när jag gifte mig med dig."

Hon slängde sig ner intill hans fötter och där satt de sedan hukade och omfamnade, på piazzans stenläggning, och vaggade varandra som två gamla älskande i slutet av sin kärlekshistoria.

4

Månaderna som följde ägnade jag åt att besöka sömmerskan, att sy, att hjälpa mamma att laga kläder, och jag såg inte ljuset. Jag inandades inte luften som kom in genom fönstren. Jag lyssnade inte på vare sig min systers ord, på pappas utbrott, på farmor Assuntas böner. Jag satte den ena foten framför den andra och rörde mig som en uppvridbar docka, oförmögen att välja riktning. Jag vände mig till och med till Angelina och bad henne bönfalla sin älskade baron att göra något för att de skulle släppa Giacomo fri.

Jag minns tydligt uttrycket i hennes ögon när jag frågade henne det. Orden som hon inte hade mod att yttra ringde i mitt huvud som en dyster visa: "Jag kan inte, Tere', snälla, be mig inte om det här." Hennes tryckta tystnad högg tag i mig. Jag kände tänderna på en ilsken hund tränga in i min hjärna. De bet, trasade sönder, fick mig att blöda. Jag fortsatte upprepa för mig själv: "Han har inte dödat någon, han har inte gjort någon illa, han har inte förolämpat baronen. De kan inte hålla honom kvar där för alltid." Men verkligheten och de allra värsta fantasierna flöt samman och tvingade mig att lägga ihop och dra ifrån händelser och skeenden utan någon som helst följdriktighet. Baggen hade inte heller dödat någon, och detsamma gällde Lollinas stackars fästman.

Slutligen fick vi veta att Giacomo hade förts till Taranto, och pappa gav sig av tillsammans med en grupp andra män för att försöka få mer information. När han kom tillbaka och mamma bad honom berätta vad de hade fått veta, skakade han på huvudet. "De lät mig inte träffa honom, Cateri'. De sa att vi hade behövt meddela dem i förväg att vi skulle komma."

Jag genomled en hemsk natt, i greppet på livliga mardrömmar. Jag gled längs en lång kanal som var grå av lera, mot det dyiga vattnet; jordbädden som jag landade på tycktes utgrävd av naglar och händer, och längre bort fick jag syn på Giacomos kropp. På avstånd såg det ut som om den var delad mitt itu, som en mask. Jag vaknade panikslagen och rörde vid mitt ansikte och varje del av min kropp, nästan som för att undersöka av vilken materia jag var skapt. Jag vände mig om för att se på Angelina, som sov lugnt. Jag tänkte på hur härligt det hade varit när vi var små, och på hur världen på den tiden, fastän den var ful redan då, aldrig hade framstått för mig som bakvänd. Jag tänkte på banditerna i Torre del Cardo och på farfars berättelser. De där fähundarna som hade förbannat tornet hade kanske även förbannat varenda snårig hed i trakten, som var lika rutten som banditerna som hade härjat där många sekel tidigare.

Det var vår när Giacomo återvände. Samma vecka tilldelades min pappa – och med honom tjugoen andra lantarbetare i Copertino – en bit jord. Vi hade en helt egen liten lantgård.

"Vi vann!" utropade han och tog tag om mammas midja. Han lyfte henne från marken, och hon lät sig snurras runt i luften. Den där jordplätten räckte för att de skulle känna sig som världens härskare.

Giacomo erhöll inte så mycket som en hektar. Han betraktades fortfarande som en utböling och hans handlingar under upproren hade varit alltför våldsamma, alltför extrema, alltför "kommunistiska".

Tre dagar efter att bönderna hade beviljats sina jordlotter släppte de honom från fängelset. Han dök upp hemma hos oss ren och nyrakad, iklädd en kritvit och väldoftande skjorta. Jag skulle inte kunna sätta ord på känslorna som sköljde över mig och som fick mig att rodna när jag återsåg honom. Inte ens under mitt äktenskaps allra lyckligaste stunder har jag känt det som jag kände för Giacomo den där eftermiddagen. När pappa kramade om Giacomo på tröskeln och han log, såg jag en guldtand blänka i hans mun. Jag skämdes för mitt skrynkliga förkläde och mitt smutsiga hår. Angelina var alltid rätt, med hår som var ett mjukt svall av lockar och ett uppträdande som var oklanderligt.

Under hela den tid som Giacomo ägnade åt att prata med pappa om fängelset och om människorna som han hade lärt känna där, tog han varje tillfälle i akt att se på henne. Jag var osynlig och fastän jag nu hade förvandlats till kvinna hade jag kanske i hans ögon fortfarande de där diffusa, utbytbara dragen som var typiska för unga flickor som inte drar till sig någons uppmärksamhet. För Giacomo var jag en välbekant och samtidigt obetydlig figur, på samma sätt som köksmöblerna, skänken, sekretären eller prydnadssakerna som han hade inrett sitt hus med. En otursam flicka, i kläm mellan sin systers frigjorda skönhet och sin mammas styrka.

Angelina besvarade aldrig hans blickar. I stället gick hon ut på gården och strök med handen över taftklänningen som hon hade hängt på vädring på tvättlinan. Hon såg ömt på den, med svärmisk blick. Klänningen påminde henne om honom, kanske bar den till och med don Giuseppe Personès doft. Jag tänkte tillbaka på när mamma under kriget brukade hänga upp klänningarna som hon skulle ha på sig när hon gick hem till baronen. På den tiden tänkte jag att hon i allt bjäfs och siden måste ha känt sig närmare sin sanna natur, åter i sina ursprungliga kläder. Även Angelina kände sig som sig själv när hon var omgiven av den mjuka taften. Det var som om hon sa till alla: "Vem bryr sig om er, pöbel?"

Efter att pappa hade svept två glas primitivo reste han sig och gick bort till sekretären. Jag betraktade dem från diskbänken där jag stod och låtsades torka tallrikar, men hjärtat bultade hårt i bröstet och mina knän darrade. Han plockade fram en låda i bleckplåt och ställde den på bordet. Mamma log, som om hon redan visste vad han tänkte göra. Han tog upp några av fotona på våra döda släktingar, ett par postkort med Savojens emblem – korallrött precis som tiocentsfrimärket – som hade tillhört farfar, och till sist det som han letade efter: en klocka med ett armband i brunt skinn och en urtavla i guld.

"Den här var min fars. Han gav den till mig samma dag som jag gifte mig med Caterina. Nu vill jag att du ska ha den, för du är som en son för mig."

Giacomo tvekade, drog händerna genom sitt tjocka hår och började sedan vagga med huvudet åt höger och vänster. "Nardi, den betyder alldeles för mycket för dig, jag kan inte ta emot den."

Pappa öppnade hans hand och lade klockan i den. "Nej, det är rätt så. Du är ung och stilig. Jag har ingen nytta av den längre."

Jag såg att Giacomo stannade upp och studerade klockan. Han såg tankfull och allvarsam ut, och verkade fundera över hur han skulle göra. Sedan hällde han upp mer vin i sitt glas och drack glupskt. "I så fall är det kanske rätt tillfälle för mig att be er om en sak", sa han och såg först på pappa, sedan på mamma.

Mamma gick och satte sig intill honom och såg undrande på pappa, som frågade: "Är det något som har hänt?"

"Nej, Nardi, det är inget som har hänt. Det är bara det att jag har velat fråga dig om det en längre tid."

"Nå, ut med språket då." Pappa höjde rösten, för han tyckte inte om att hållas på halster.

Giacomo sökte med blicken efter Angelina som var ute på gården, men hon var upptagen med att gnola på refrängen i en sång och varvade orden med drömska suckar och små pauser, för att sedan leva upp igen och fortsätta sjunga.

"Caterina, Nardi', jag skulle vilja be om er dotter Angelinas hand."

Kökshandduken gled ur händerna på mig. Jag frös till is, som om något demoniskt hade tagit sig in i min kropp tillsammans med ljuden som just hade nått mina öron. Jag sa inte ett ord utan flydde bara ut ur huset, men jag klarade inte att springa. Mina ben bar mig inte. Jag ställde mig mot en husvägg och försökte andas långsamt medan jag ömsom stirrade ner på mina skospetsar, ömsom blickade upp mot himlen. Ett gytter av "om" och "men" ekade i mitt huvud och gjorde mig förvirrad och sårbar. *Om du bara hade varit annorlunda. Om Angelina bara hade varit annorlunda.* Jag bet mig i läppen för jag lyckades inte tänka klart. Jag fortsatte gå och mötte några grannfruar som stod och småpratade på gatan. Det kändes som om jag skulle kvävas när jag såg deras mörka långklänningar, de svarta hucklena som de hade knutna runt huvudet och som dolde varje tillstymmelse till skönhet. Jag skakade på huvudet, rätade på ryggen och började gå med samma beslutsamma steg som mamma och Angelina. Jag kände ilska mot den där arkaiska världen som plötsligt föreföll mig inskränkt och oändligt liten. Nästan som om mitt inre väsen sprang fram ur den hårda och steniga jorden, ett väsen som hade utvecklats till en intetsägande och ofullbordad gestalt.

Jag började springa allt ihärdigare mot de övergivna fälten och vidare mot Torre del Cardo. En gammal alm reste sig likt en väktare som vakade över ruinen. Hur många gånger hade inte Angelina och jag, när vi var små, suttit i skuggan av den där stora, knotiga stammen? Vi kunde småprata eller bara sitta tysta och lyssna på fågelkvittret eller på cikadornas surrande. Vi var så olika redan på den tiden, Angelina. Din högdragna blick sa mig redan då att jag aldrig skulle förstå saker och ting på samma sätt som du gjorde, att jag inte skulle se någonting om inte genom dina ögon. Jag kunde passera allt, men inte dig. Jag var övertygad om att du redan kunde skilja vitheten från svärtan, att framtiden var klar och tydlig för dig. Ingen luddighet. När du satte dig ner bredvid mig med ett slags liknöjd självklarhet kunde jag inte göra annat än sitta där och se på dig. Och genom de där blickarna visa dig min kärlek. Som om mina tystnader var den felande länken mellan min ensamhet och din livfullhet. Felet var mitt.

Jag ruskade på huvudet, gripen av en ny sorts förtvivlan som fick alla mina övertygelser att störta samman. Den andra kroppen fick övertaget över den första, nästan som om mitt ursprungliga väsen äcklade den, fick den att skämmas. Det var dött kött att göra sig kvitt. Jag slet av mig kläderna och i skydd av skymningsmörkret började jag gnida min nakna hud mot den gamla almen. Inuti mitt huvud ringde en skoningslös ramsa: "Teresa är osynlig. Teresa existerar inte."

Jag har känt dig hela ditt liv. Du är ingenting.

5

När jag kom tillbaka hem satt grannfruarna redan samlade i en halvcirkel runt köksbordet. Giacomo och Angelina var borta. På stolen som tillhörde familjens överhuvud satt farmor Assunta med stolt hållning och smuttade på en kopp kaffe. Även barnmorskan infann sig, med en släpig gång som påminde om Trollpackans. Hon kom in genom ytterdörren medan hon beklagade sig över en besvärlig artrit som fick henne att åldras i förtid. Det var farmor Assunta som gjorde ett sammandrag av Angelinas korta liv: "Redan som barn var hon vaken och intelligent, talför och kvicktänkt", sa hon.

"Och lika vacker som sin mor", tillade Nenenna.

Lollina satt tyst bredvid henne och såg på sina fingrar som låg sammanflätade i knäet. Först i det ögonblicket insåg jag att hon blev alltmer lik sin döde far: de hade samma spensliga lemmar, urgröpta kinder och osannolikt ljusa ögon, av en ohjälpligt himmelsblå färg. Minguccio, hette han. Jag hade hört hans röst en enda gång, inbäddad i en ström av saliv som med jämna mellanrum rann ur hans mun. Av honom mindes jag magerheten och den solfjälliga huden. Under de högtidliga tillställningarna bar han alltid en kostym som var alldeles för stor och som fick det att se ut som om hans kropp inte bestod av annat än ben. När jag var liten ömmade jag för den mannen, precis som jag nu ömmade för hans dotter, och jag var skräckslagen inför tanken på att bli som hon.

Mamma hade dukat fram bröd och smör på bordet och var i färd med att koka kaffe. Några gånger mötte jag hennes blick och hon blängde på mig nästan som om jag hade en skuld att bekänna, men jag höll tyst. Under årens lopp hade jag fulländat tystnaden och intalat mig själv att det fanns något begränsande och vulgärt med orden. Jag lagrade dem inom mig ett och ett, en skatt som var bara min.

Jag gick bort till fönstret för att lindra känslan av att inte få tillräckligt med luft. Himlen var varm och klänningen smet åt kring min kropp som en outhärdlig svepduk. Jag tänkte på Giacomo. Vad var det egentligen hos honom som jag älskade? Om jag ansträngde mig för att lägga ihop bilderna, dofterna och känslorna, insåg jag att det som jag älskade var hans enkla och spartanska smak, hans beslutsamma och vaggande gång, det faktum att han var en pilgrim, en vandrare som fann sig i att sova på provisoriska halmmadrasser, att äta det som fanns till hands, hans lukt av urtvättade kläder som i själva verket var doften av en ensam man. Det var just mötet mellan våra ensamheter som eggade mig. Sanningen var att inget med honom kunde anses särskilt unikt eller fantastiskt, likväl snurrade hans namn runt mig som en dans och hindrade varje steg jag tog.

"De kommer att bli ett tjusigt par", hörde jag farmor Assunta säga.

Jag blundade och föreställde mig dem vid varandras sida. Angelina. Även för henne kände jag en förtärande kärlek, som om jag i mitt hjärta anade avståndet som sedan skulle skilja oss åt, och förutsåg hennes frånvaro som redan då kändes outhärdlig.

När pappa kom hem var grannfruarna fortfarande där, var och en upptagen med att fabulera ihop sina hjärtesaker. Barnmorskan satt och drog historier om baronen och de andra nickade. Nenenna gjorde korstecknet och grannfru Nunzia fyllde rummet med suckar. Farmor Assunta satt mest och fnös.

"Var är Angelina?" frågade pappa medan han tog av sig skärm-
mössan och torkade svetten ur pannan.

Mamma bara ryckte på axlarna.

Jag kunde föreställa mig att min syster hade flytt därifrån gri-
pen av samma förtvivlan som jag själv kände, båda fångade inuti
en trång låda som kvävde oss. Vi gick igenom samma metamorfos,
var och en förhäxad av sin egen dans, båda långt borta från den
verkliga världen, vilsna. I varje vardaglig handling som vi utförde
fanns ett mörker som saktade ner oss och gjorde oss omtumlade
och oroliga. Det var kärleken som styrde våra steg. Angelina och
jag bekantade oss med detta okända för första gången.

"Ikväll ställer vi till med en fest på piazzan, för jorden som änt-
ligen har blivit vår", utbrast pappa belåtet. "Orkestern från Lucera
kommer dit och prästen håller mässa. Det här är ett glädjens ögon-
blick för oss alla."

Varenda bondlurk och husfru som bebodde den där steniga
heden skulle fira. Männen i mörka kostymer och med den van-
liga allvarsamma och vredgade rynkan i sina solbrända ansikten.
Kvinnorna iklädda svarta klänningar på grund av någon sorg – sju
års sorg över faderns död, tre års sorg över en brors död, livstids
sorg över makens död – och barnen gömda bakom mödrarnas
långa kjolar, skaror av barn som skulle svärma som flugor genom
Copertinos gränder. Mamma skulle stanna till i don Beppes han-
delsbod och köpa mintkarameller och tvålflingor, stearinljus att
tända för den heliga jungfrun och anjovisen i saltlake som pappa
tyckte så mycket om.

Det var den värld som jag kände till och som jag tillhörde. Det
var min trånga låda. Jag ansträngde mig för att föreställa mig ba-
ronens stora lantgård, godset i samma vita färg som kalktuff, staty-
erna på taket, de stora invändiga trapporna som öppnade sig som

en solfjäder och ornamentslingorna som var utmejslade i stenen. Jag avundades Angelina för att hon hade bestämt sig för att den där världen skulle tillhöra henne. Jag, för min del, kände mig fortfarande som varken fisk eller fågel. En docka av socker som kunde smulas sönder i vilket ögonblick som helst.

6

Angelina hade insisterat på att vi skulle gå till hårfrisörskan före festen. Under tiden som vi promenerade dit sa hon inte ett ord om vare sig Giacomo eller om hans frieri, men det var uppenbart att häxans systerson låg som en ridå av "om" och "men" mellan mig och min syster, och den fick oss båda att falla i tystnad. Jag betraktade de förfallna små husen som låg tätt intill varandra, de underjordiska valven från vilka det steg en unken lukt, de osmyckade butikerna vars fönster var täckta av gardiner tillverkade av flätade snören. Det var som om jag lade märke till de där detaljerna för allra första gången. Där tätbebyggelsen slutade svängde linjebussen in på den stora vägen som klöv landskapet i två delar. Det var där hårfrisörskans hus låg, tillsammans med ett fåtal andra fallfärdiga hus som man kunde räkna på en hand, med pyttesmå köksträdgårdar, svarta jordplättar där blomstrande plommonträd fällde sina blad. Hårfrisörskan hade tuperat håret så att det såg ut som på en docka och målat munnen med ett mörkrött läppstift som framhävde de tunna läpparna.

"Kom in, kom in. Dumbommen är på piazzan och kommer inte hem än på ett tag", sa hon och syftade på sin man.

Det låg en tidskrift på bordet, Kvinnornas söndag. Omslaget pryddes av bilden av en tilldragande kvinna som slängde sig om halsen på en man. "Den kommer direkt från Milano."

Angelina strök hänförd med handen över tidningen. Vi visste

ingenting om Milano, men i våra huvuden fick allt som nådde bortom det där rödaktiga landskapet oss att glömma leran och grymheten.

"Sätt er ner, så ska jag göra er fina i håret", skyndade hon sig att säga, gripen av samma upphetsning som hade drabbat henne första gången vi besökte henne.

"Du kan börja, Tere."

Hårfrisörskan bad mig slå mig ner och började linda varje hårslinga kring stora papiljotter.

"Du ska se att jag kan få dig att se ut som en av de där kvinnorna på vita duken. Blunda nu, så ska vi sminka det här lilla porslinsansiktet."

De tunna penselborstarna smekte mina kinder och sände lätta rysningar längs min ryggrad. Bilden av Giacomo dök upp för min blick och trängde bort alla andra tankar. Han låg utsträckt bredvid mig på sängen och såg lycklig ut. Utan manchesterjackan såg axlarna ut som vita klippblock på Cardos uttorkade flodbädd. Jag öppnade ögonen flera gånger, men varje gång som jag slöt dem igen var han alltjämt där. Så där, naken och vit, skrämde han mig och mitt hjärta började bulta hårdare, samtidigt som läpparna gled isär i ett förväntansfullt uttryck. Jag skakade på huvudet medan den lätta penseln målade mina ögonlock.

"Sitt still, Tere', jag är nästan färdig."

Jag försökte tränga undan den där bilden och mina tankar vandrade ofrivilligt till andra kroppar, och jag såg framför mig banditerna den där gången då de tvingade sig på mamma. Den natten var jag övertygad om att de stora, håriga kropparna ville stycka henne, knivbladen fördes in mellan hennes lår för att dela henne mitt itu, skära henne i bitar. Först när de hade gått sin väg hade jag förstått att hon fortfarande var hel, bröstet intakt och magen likaså. Utanpå var hon oskadd. Kanske var det i den stunden som jag bestämde mig för att jag skulle vara en kropp utan lidelse och utan kött. Steril som en docka. En kropp utan blod och utan kön, allting förlagt annorstädes.

"Nu är det färdigt, titta."

Angelina stod bakom mig och betraktade mig i spegeln. Min undersköna syster som Giacomo ville gifta sig med.

"Så vacker du är, Tere'. Du ser ut som en amerikansk skådespelerska."

Håret hade blivit fylligt och böljande och ramade in de tunna kinderna. Jag hade gjort mig redo för festen med den barnsliga fantasin att jag kunde förändra saker och ting med en fin volangkjol, en slak rosett runt midjan och ett par klackskor, men det verkliga miraklet hade kvinnan bakom mig utfört, kvinnan med dockhår och sorgset ansikte.

Jag reste mig för att överlåta platsen åt Angelina och stannade upp och betraktade hennes vågiga hår som föll ner över ryggen. Hårfrisörskan såg med drömsk blick på Angelinas spegelbild.

"Du, min flicka, påminner mig och mig själv som ung. Innan jag träffade min man hade jag en fästman, en officer i armén."

Hon gned sina händer rena mot klänningen och öppnade en låda i skänken. Hon lyfte på en bunt servetter och plockade upp ett foto som föreställde henne själv som ung, med ett lockigt hårsvall som föll ner runt hennes ansikte. Bredvid henne stod en ung man i uniform med höga kindben och stora ögon.

"Han kom från Santa Cesarea Terme. En gång tog han med mig dit för att visa mig sina föräldrars villa i morisk stil."

Hon drog en djup suck innan hon började berätta om trädgården med terpentintallar som sträckte sig ner mot havet, om raderna av kapris och mullbär som hon åt stora nävar av. Medan hon pratade färgades hennes kinder djupröda, men ögonen var blanka av tårar.

"Sedan kom första världskriget, kära flickor. Som tur är behövde ni inte uppleva det. De som inte kom tillbaka var fler än de som gjorde det."

Det var dock tydligt att hon saknade ungdomen mer än den unge officeraren. Jag var bekant med den känslan, även om det i mitt fall snarare handlade om en nostalgi inför framtiden. Det var två termer som borde gå stick i stäv med varandra, men jag förstod mycket väl vad det rörde sig om. Tiden var innesluten i en bubbla, snurrade runt och återvände alltid till samma punkt.

Hårfrisörskan hade precis blivit färdig med Angelinas hår när hennes handikappade man klev in genom dörren. Han var i en obestämbar ålder, som en som har stannat på ett visst utvecklingsstadium och förblivit i en ofullbordad form, nästan stympad. Hans rödblonda hår var fortfarande en pojkes, men allt det andra såg förvissnat och slokande ut. Han stegade in med sin högresta kropp och kröp ihop på stolen i hörnet av köket, alltmedan munnen rörde sig i ett långsamt och rytmiskt idisslande.

"Nu är det bäst att ni går härifrån, flickor", skyndade sig hårfrisörskan att säga. "Jag vill inte ha några pengar. Jag bjuder på det här idag. Gå nu och roa er på festen."

Vi lämnade henne på tröskeln, med nostalgin över ungdomen som plötsligt hade gjort hennes anletsdrag tyngre och släckt leendet på hennes läppar. Angelina och jag störtade ut, skrämda av anblicken av den handikappade mannen. Jag stannade till och såg på henne, på hur livet gjorde hennes hy rosig, glimrade i hennes ögon och skänkte henne den där stolta gången. Då och då hejdade sig även hon. Det räckte med en liten bagatell, ett djurläte som hördes inifrån skogen, en bonde som passerade med sin kärra, för att hon skulle sluta gå. Varje stopp var ett tillfälle för henne att iaktta mig, övertygad om att jag inte kände hennes blick på mig, en blick som fick min gång att sakta ner och tvingade mig att fortsätta framåt med små, mekaniska steg.

"Tere', varför säger du inget?"

Inte ens henne kunde jag anförtro det som jag kände, en sorts intuition. Det bräckliga höljet kring en känsla? Hur kunde man definiera det? Inte ens Giacomo hade något med det att göra, det faktum att han hade valt henne och inte mig. Andra gånger hade jag drabbats av en annan sorts tystnad och jag hade accepterat det med sammanpressade läppar. Men den eftermiddagen var det annorlunda. Vanligtvis visste de andra kvinnorna mer om det än jag själv, kvinnorna som aldrig höll tyst och som visste meningen med allt. Den här gången var jag den som visste allt, det var jag som hade blottat mitt innersta. Jag såg på Angelina med en ny medvetenhet. Jag minns himlen som låg som en fond bakom henne och träden som hängde över branten. Det var inte Giacomo, nu stod det klart för mig. Det var jag.

Angelina tog mina händer i sina. Vi såg varandra rakt i ögonen, precis som när vi var små och stod framför Torre del Cardo. "Jag kommer inte att gifta mig med honom, Tere', aldrig. Du behöver inte oroa dig. Förstår du?"

Jag förstod det och jag förstod också att hon höll på att smeka mig med sin röst, med sina tårfyllda ögon, medan hon såg stint på mig för att försöka läsa mina innersta känslor och röra vid mitt hjärta.

"Jag vill inte leva det här livet, Tere'. Det äcklar mig."

Det där sista skrämde mig, men inte ens då sa jag ett knyst. Jag flätade mina fingrar hårdare samman med hennes. Det var tecknet på ett samförstånd som kunde ersätta orden.

Angelina, min vackra syster. Sminket runt hennes ögon började rinna nerför kinderna. Jag samlade upp hennes tårar med mina fingrar. Vi var två filmstjärnor som kommit på avvägar. Vad hade så mycket skönhet att göra på två fördärvade dockors kroppar?

7

Det var många år sedan ortsborna klädde upp sig så till fest. I mitten av piazzan hade man riggat upp orkesterns estrad pyntad med festlig belysning som skulle tändas prick klockan sju, och utmed scenen hade de kringvandrande försäljarna ställt upp sina salustånd som dignade av lupinbönor, nötter, sötsaker och inlagda oliver. På andra sidan stod tyghandlaren Pinuccio och visade upp sina tyger medan han gapade för full hals, och så smederna som kom från Murge med sina kopparkastruller, slevar och andra husgeråd. Redan på håll kunde man höra ett festligt tjatter. Männen hade slagit sig ner runt den lilla kiosken som sålde kallt öl, med ryggarna stödda mot träden. De yngre av dem sjöng en liten sång medan andra satt och rökte. Även pappa var bland dem. Jag sökte med blicken efter Giacomo, men hittade honom inte.

Kvinnorna, för sin del, hade samlats runt tyghandlarens salustånd. Jag fick syn på Lollina som med gäll röst och yviga gester stod och förhandlade om priset på ett tyg som hon tyckte om. Hon hade klätt sig i en festlig klänning som smet åt kring hennes höfter. Jag tänkte att hon kanske hade glömt Den svedde och kände sig redo att hitta en ny kärlek. Hon hade även tagit av sig det tunga radbandet som hon hade burit om halsen under flera månader efter det att fästmannen hade försvunnit, och delat håret i en lång mittbena. Hon såg ut som en annan, och grannfruarna trängdes runt henne för att få ge henne råd om vilket tyg hon skulle köpa. Pinuccio delade frikostigt ut sliskiga ord åt höger och vänster, men när han fick syn på Angelina iklädd den plommonfärgade taftklänningen kvävdes rösten i halsen på honom, och under några sekunder blev han stående med tygstycket i händerna och bara såg på henne. Även kvinnorna vände blicken mot min syster. De tjocka och mörka gestalterna spärrade upp sina munnar, mumlade kommentarer och tycktes vilja sluka henne.

Jag tog henne under armen och förde henne bort därifrån, mot estraden där bandet hade satt igång att spela. Hon tog några osäkra danssteg, hennes kropp började svänga och det var nästan som om hon utstrålade ett himmelskt sken.

Trollpackans dystra gestalt, med huckle på huvudet, kom fram till oss: "Din syster gillar att vara baronens slinka, precis som er mor", viskade hon när hon gick förbi mig.

Hon sa det som om det var ett mantra som det räckte med att uttala. Sedan gick hon sin väg och jag fick ingen chans att säga något tillbaka. Jag nöjde mig med att betrakta Angelina som var upptagen med att graciöst följa musikens toner. Kanske hade hon ännu inte förstått lagarna som styrde våra liv. De kom ur ett fördärv. Skönheten var vår familjs förbannelse, först min mammas förbannelse och nu min systers. Äpplet faller inte långt från trädet, brukade farfar Armando säga. Essensen som bestämde riktningen för våra steg var sammanfattad i bondvisdomen.

Trollpackans skugga förvann bakom husen. Under tiden hade bandet slutat spela och alla applåderade. Trumpetaren klev åt sidan för att lämna plats åt pappa, som med osäker uppsyn greppade mikrofonen. Mamma kom fram till oss med ett leende på läpparna, även om hennes ögon röjde en viss rädsla.

"Vänner och kamrater", tog han till orda med en röst som

sprack av rörelse, "idag är en glädjens dag för oss alla, men i synnerhet för min familj."

Först då fick jag syn på Giacomo mitt i folksamlingen. Han stod alldeles framför scenen och såg på pappa med ögon fyllda av välvilja.

"Mamma, vad säger pappa för något?"

"Jag vet inte, Angeli', jag vet ingenting."

Och utan att säga något mer stegade hon fram mot scenen.

"Skynda dig, mamma, skynda dig", viskade jag för mig själv, men det var försent.

Pappa såg sina vänner och gelikar i ögonen och gjorde tillkännagivelsen: "Jag vill delge er att det snart kommer att bli en ny fest, för att fira vigseln mellan Giacomo Pisanu och min dotter Angelina. Må herren vaka över dem."

Publiken som stod på första parkett tystnade till en början, sedan utbröt det vanliga monotona mumlet som spred sig som ett sorl.

Angelina hade ett uttryck mitt emellan bestörtning och rädsla. Hon bet sig i underläppen, och inte heller hon lyckades få ur sig ett enda ord. Jag kände hur mina ögon fylldes med tårar men jagade bort dem och försökte fokusera på betydelselösa detaljer, en virvel av löv som vinden fick att lyfta, en grå katt uppe på ett hustak, den festliga belysningen som just hade tänts. Men det var som om ingenting hade någon riktig mening, mitt hjärta ville bara fly sin väg och utplånas.

"Kom, Tere', vi sticker härifrån", sa Angelina och tog mig hårt i handen.

"Men pappa då? Och Giacomo?"

"Snälla, vi sticker härifrån. Vi sticker till havet."

"Till havet?"

"Till havet."

Vi sprang hand i hand ända bort dit där fälten tog slut, där en gammal man på en kärra lät oss hoppa upp och åka med hans olivlass. Vi sprang hela vägen till stranden, medan vi lyfte våra klänningar från marken. Vågor utan skum rullade sakta in mot land.

"Jag vill försvinna, Tere', jag vill bli osynlig. Tror du att det är möjligt?"

Jag skakade på huvudet och såg på henne. Det bruna och perfekta ansiktet, de moriska ögonen och håret som en ljuv jungfrus. Allt hos henne skrek efter ett annat liv. Hon knep ihop ögonen, antagligen för att låta sig svepas med av fantasin, rita upp ett omöjligt händelseförlopp som placerade henne innanför en annan hud, långt därifrån, kanske bortom horisonten som himlens gråhet redan hade suddat ut. Klänningen gled långsamt ner och smekte hennes kropp.

"Angeli', vad gör du?" Men hennes nakna kropp simmade redan med stora tag mitt bland de milda vågorna.

Jag hörde henne skratta, kanske för att hon naken mitt ute i havet kände sig fri. Blott kött och blod, inga skuggor på vattnet, och ett skingrat ljus som fick hennes ögon att likna fiskfjäll.

"Simma, Angeli', simma", mumlade jag och för ett ögonblick, om än ett väldigt kort sådant, kände även jag mig fri.

8

Under promenaden hem hörde jag inte längre de gälla rösterna från kvinnorna som stod i fönstren eller spottandet från gamlingarna som satt utanför sina ytterdörrar. Jag lade inte längre märke till de berusade skratten från männen inne på osterian. Rösterna tonade bort, sakernas konturer, hela Arneotrakten som solnedgången målade i violetta nyanser. Under de sista timmarna av den där märkliga dagen hade Angelinas temperament börjat gro inom mig: en kraft som var min och samtidigt inte, och som förvandlade mig och fick min hud att bli till ett läderartat skyddshölje som inget och ingen längre skulle kunna skråma om hon och jag bara höll ihop, för vi skulle vara motgiftet för varandra mot den där världens grymhet. Jag hade undermedvetet börjat fabricera verkligheten med en fantasisjäl, en stöttande ande som utvidgade och inskränkte saker och ting utifrån mina behov, som när jag som liten berättade vår familjs historier för trasdockan och förmildrade de bittraste detaljerna, eller som när mamma berättade för oss om pappa som var ute i krig. I hennes berättelser fanns det inga bomber eller stympade kroppar, däremot fanns det flygplan som ven genom luften och som fick oss småflickor att tänka på örnarnas lätta glidflykt.

Det som häxan hade sagt många år tidigare stämde: vindens blommor dör först, sedan vaknar de till liv igen. Det var så jag såg på mig själv, på Angelina och även på vår mamma, men det andra skinnets förtrollning gick upp i rök så snart vi vek in på vår gata.

"Vi är framme, Tere'", sa Angelina dämpat.

Orden kom ur hennes mun fyllda av uppgivenhet, och hennes steg saktade ner. Om vi hade flytt på den gamle mannens kärra som var fullastad med oliver hade allt kanske blivit annorlunda. Nu var det försent: låtsassjälen hade dragit sig tillbaka. Husen som omgav mig som en ansamling av tuffsten och tjära kvävde mig.

"Ja, Angeli', nu är vi framme", svarade jag dröjande, som om jag inte talade till henne utan till en obestämbar punkt på marken.

Pappa satt och trummade frenetiskt med fingrarna på köksbordet. Mamma satt mittemot honom, och det syntes på hennes röda kinder att de hade grälat. När vi kom in genom dörren reste sig pappa och blängde tyst på oss, först på mig, sedan på Angelina, och sedan återigen på mig.

"Angeli'", sa han sedan, "vad har du gjort?"

Han gick fram till henne och lyfte ena handen för att röra vid de kolsvarta lockarna som fortfarande var fuktiga. Hans röst röjde både ilska och medkänsla. Han tog ett varv runt henne. Det såg ut som om han beskådade skönheten hos dottern som hade slagit ut i sin fulla blomning som ett körsbärsträd om våren.

"Du har alltid varit förnöjd, en dotter kysst av solen."

Jag slog ner blicken, nästan som om orden som pappa sa till min syster hade ett giftigt, underliggande skikt som dolde sanningar om mig. Kanske hade inte heller han undgått att lägga märke till det sorgsna blänket djupt inne i mina grå pupiller. Stackars pappa kunde inte veta att samma mask som förtärde mina inälvor också krälade i Angelinas mage, och kanske även i mammas. En eld som, även om den var täckt av aska, fortfarande pyrde.

"Giacomo är en bra man. Han kommer att göra dig lycklig, och du ska se att de förr eller senare kommer att ge en bit jord även till honom."

Pappa ställde sig alldeles framför Angelina. Hans ansikte hade plötsligt blivit hårt, kantigt och täckt av rynkor. Angelina lyfte blicken. Jag kände mycket väl igen det där resoluta uttrycket och kände kalla kårar dra längs ryggraden.

"Pappa, jag kommer inte att gifta mig med Giacomo."

Stackars pappa kunde inte veta att hans dotters hjärta klappade för hans allra värsta fiende. Stunderna som de båda älskande hade tillbringat tillsammans, under vilka deras hjärtslag dånade som åska, munnarna stönade av längtan och tumultet i deras kroppar fick marken att skälva under dem, var en hemlig värld som han inte kände till.

"Men vad säger du, Angeli'? Kan du förklara varför? Det är möjligt att du inte älskar honom än, men du har all tid i världen för att lära dig att göra det." Hans ögon hade börjat rycka, knappnålshuvuden som rörde sig inuti ögonhålor kantade av rynkor. "Vad i helvete är det jag hör? Vem är du att säga att den här fine unge mannen inte duger åt dig?"

Hans hy stramade över kindbenen, och medan han pratade drog han då och då upp överläppen och blottade tänderna, som en morrande hund. Ilskan förfulade honom till den grad att jag för första gången fann min pappa gammal. Mamma slängde ifrån sig trasan i diskhon och gick och ställde sig mellan pappa och Angelina, i det vredesfyllda utrymme som skilde dem åt.

"Nardi', det räcker nu. Giacomo må vara en bra man, men vår dotter tycker inte om honom."

"Ah, vår dotter tycker inte om honom!" Han snurrade med pekfingret i luften innan han började prata igen. "Det är jag som tar hand om den här familjen. Jag sliter som ett djur från morgon till kväll och jorden förstör mina fingrar. Alltså är det jag som bestämmer vem vår dotter ska gifta sig med. Fattar du?"

Angelina och jag ville ha en dröm, men livet var annorlunda. Vi var tvungna att vända och vrida på varenda slant för att överleva. Sådan var verkligheten, att nätt och jämnt få ihop pengar till mat. Pappa visste det. Mamma visste det. Alla visste det. Av den anledningen var även känslorna och drömmarna ransonerade, doserade, med ett slags återhållsamhet som fick dem att blossa upp bara under de bra dagarna.

I ett visst ögonblick hördes ett ljud utifrån gränden, den där typiska visslingen som upphetsade män slänger efter kvinnorna som går förbi. Ett utdraget och gällt ljud, sedan erotiska, vulgära ord som var riktade till Angelina, Nardo Sozzus eftertraktade dotter.

Pappa störtade ut på gatan för att jaga bort slynglarna, men det var försent. Ortens förruttnade buk hade spytt ut sitt svarta innanmäte mitt ibland oss.

"Förstår du nu, pappa? Jag vill inte vara här längre. Varken tillsammans med Giacomo eller med någon annan."

Jag upprepade Angelinas ord inuti mitt huvud, "jag vill inte vara här längre", och kände hur jag sögs ner i en mörk avgrund där varken tiden eller färgerna existerade, där själva livet var något ovisst, en fisk utan ögon, ett träd utan grenar, en kropp utan armar.

"Pappa", fortsatte hon och såg honom rakt i ögonen, "jag är kär i en annan och det är med honom jag vill vara."

Pappa grep tag om mammas axlar och flyttade henne åt sidan. Inget och ingen skulle stå emellan honom och hans dotter.

"Och vem är han, om jag får fråga?" Ådrorna började bulta snabbare på hans hals, som om han förberedde sig på ett slagsmål.

"Baron Personès son, don Giuseppe."

Mamma blundade medan vreden blixtrade till i pappas ögon och förvrängde honom.

"Aldrig!" skrek han. "Över min döda kropp! Den fähunden, det usla kräket", och så tog dialekten övertaget och fick honom att regrediera till ett plumpt, gyttjigt stadium i vilket Nardo Sozzu varken var bättre eller sämre än de andra bondlurkarna som när de lämnade osterian sölade ner gränden med piss och spottloskor.

"Vad väntade jag mig, förresten?" fortsatte han. "Du är en slyna. Det är vad du är. Min dotter är den lille baronens slyna", skrek han så att även huset skulle höra honom.

"Du säger inte så om min flicka." Mamma ställde sig på nytt mellan far och dotter.

Angelina flydde in i min famn. Hon grät ljudligt precis som när hon var liten.

"Och du håller mun", beordrade han mamma och örfilade henne rakt i ansiktet. Hon reagerade inte, tog bara stumt emot slaget.

Hur hade de svartklädda grannfruarna alltid behandlat henne? Som en slyna. Nu skedde det på nytt. Det förflutna och nutiden gick i loop, som en karusell som tar i marken och sedan lyfter igen. Ännu mer lera, ett molntäcke som inte släppte igenom något som helst ljus. Sciroccovinden fick fönstren att öppnas på vid gavel och dofterna från sommarlandskapet nästlade sig in i köket som en orolig sonett. Mamma kramade om oss medan pappa stod som förstenad och stirrade ner i stengolvet, som om den demoniska sak som hade fått hans blod att koka nu hade övergett honom och tömt honom på kraft. Vi stod kvar så, modern och döttrarna, ensammare än någonsin, tre ofullbordade själar från vilka varje form av solidaritet och gemenskap med de andra var långt borta.

Kan man känna sig som en främling i sitt eget hem?

På den tiden skulle jag ha sagt ja, och kanske skulle jag ha gjort det än idag.

9

Under månaderna som följde förvissnade Angelina långsamt. Pappa förbjöd henne att gå ut på egen hand, och de enda stunderna av förströelse för henne var när vi gick för att fylla vattenkarafferna i brunnen eller för att köpa något i don Beppes bod, där specerihandlarens utmärglade och skvallriga dotter inte missade ett enda tillfälle att påminna alla om hur stollig min syster var som förälskade sig i baronens son. Hon gjorde det dock med vaga antydningar: "Den som leker med elden blir bränd", "den som lever på hoppet får dö av svält." För första gången svalde min syster tyst vilken provokation som helst, nedstörtad som hon var i ett väderstreck som inte existerade, ett tjärhaltigt underliggande skikt där varje yttre påtryckning rann av henne utan att lämna något som helst avtryck.

Mer än en gång sågs den unge baronen i gränderna, i sadeln på sin fullblodshäst, men han utbytte inte ett ord med någon. Hans skönhet utstrålade en högdragenhet som var oss helt främmande. Mellan honom och oss fanns en bottenlös klyfta.

Fastän pappa förbjöd henne att gå ut fortsatte hennes hjärta att klappa för baronen, snarare närde den omöjliga kärleken varenda en av hennes tankar, varje syssla som hon tog sig för under dagens vakna timmar och till och med nätterna.

"Vill du har ett färskt ägg, Angeli'?"

"Jag äter senare."

"Du måste äta, Angeli'. Jag gör en omelett åt dig", insisterade mamma, men Angelina skakade på huvudet och stirrade ner på sina skospetsar.

Konversationerna därhemma hade reducerats till att röra det allra mest väsentliga och vi var noga med att inte ge oss in i försåtliga samtal om Giacomo, än mindre om baronsonen.

På kvällen, när vi satt till bords, slevade mamma upp stora portioner åt oss inför pappas vaksamma blick, för han inbillade sig att mätta magar kunde stilla även andra sorters hunger. Varenda handling utfördes som en stum och enslig ritual, var och en av oss med huvudet böjt över tallriken. Men Angelinas tallrik förblev alltid orörd. De enda tillfällena som jag såg henne till freds var de få gånger som pappa tillät oss att gå med mamma eller farmor Assunta till biografen. Med försjunken uppsyn beundrade hon primadonnorna, koncentrerade sig på detaljer i deras ansikten, på klänningarna och på deras perfekta frisyrer som sög hennes blick till sig. Då grät hon. Jag vet med säkerhet att hon innerst inne bannade sig för sitt efternamn och sin börd. Jag tog hennes hand i min och förnam kylan av osynlig snö på hennes fingrar. De så avlägsna primadonnorna väckte något även i vår mamma, som när vi kom hem från biografen kvävde sina suckar och kastade sig över vävstolen. Hon sänkte blicken mot pläden som hon höll på att väva och dolde de grågröna ögonen som nedstämdheten hade fått att blekna, drog slagbommen mot sig utan att någonsin lyfta blicken, ett rytmiskt bom bom som fyllde tystnaden.

Under de där månaderna slocknade även pappa, även om hans tystnad mer antog ilskans nyanser. Han vankade av och an genom de inrökta och grå rummen medan han tvångsmässigt drog händerna genom håret. Det märktes att hans mage snörptes ihop när han såg färgen som flagnade, ärgen på vattenkranarna, sprickorna i den blommönstrade klinkern. Han stod håglös vid fönstret och stötte ut luften som om han hade svårt att andas. Han framstod inte längre som den pappa jag mindes, den pappa som hade återvänt från kriget, uttjänt, skymfad och utmärglad, men likväl lycklig. Nu hade livet förändrat honom, förvandlat även honom till den ofullbordade varelse som fått fäste i varenda en i vår familj. En man som ständigt stod orörlig på tröskeln till något. Jag såg på honom, älskade och hatade honom på samma gång, nästan som om alltihop var hans fel.

Det var "missbelåtenhetens tid". Det är så jag än idag kallar de åren av mitt liv. Huset som var kallt och tomt, fastän det alltid var fullt av människor. Farmor Assunta brukade dyka upp plötsligt, slinka in i köket utan att ge ett ljud ifrån sig.

"Stackars flickebarn, det är tydligt att hon känner sig vilsen", sa hon med armarna i kors över bröstet.

Efter henne kom Nenenna och Lollina, sedan grannfru Nunzia och barnmorskan, var och en med ett arbete att slutföra eller med de vanliga torkade kikärterna att knapra på. Nenenna och hennes dotter blev alltmer olika, den förstnämnda med sin tjocka mage och stora slappa bröst som generöst bredde ut sig över den, och Lollina förtorkad som en bit gammalt bröd. Mor och dotter rabblade oupphörligen böner för att ära helgonen och de avlidna så att de skulle hjälpa Angelina att hitta tillbaka till den rätta vägen. Då och då avbröt de bönerna för att bryskt återgå till de jordiska angelägenheterna, och för att med skenbar likgiltighet kommentera någon nyhet som hade spridit sig genom gränderna. När Angelina tilltalades nickade hon för det mesta med uttråkad och disträ uppsyn. Vi var förresten vana vid att grannfruarna slog läger i huset varje gång som det fanns ett problem: de satte sig i ring och kommenterade samma gamla historier, och kryddade dem helt efter eget behag med syfte att göra varje berättelse mer intresseväckande.

En enda gång föll min syster in i samtalet, med torrt tonfall: "Jag vet vad folk säger", sa hon från stolen där hon hade suttit ända sedan hon hade fått utegångsförbud, "de säger att Angelina Sozzu är baronens slinka, och jag vet också att fastän ni jämt är här och låtsas vilja mig väl, så tänker även ni det innerst inne. Jag har vant mig vid de här sakerna."

Från den dagen, och under många veckor framöver, var det bara farmor Assunta som kom hem till oss, och pappa som var lättad över de andra grannfruarnas frånvaro nöjde sig med att säga: "Åtminstone en av dem fick vi väck från skitstövlarna."

Återigen fyllde skammen husets alla vrår, spred sig snabbt över piazzorna och flög över den vita stenen. Det var nästan så att den fick fast form, en tung massa i stånd att röra sig innanför husväggarna och att kittla huden likt en ond ande som irrade runt i rummen under de vakna timmarna och sov bredvid oss om nätterna.

"Jag känner den, mamma", sa Angelina, "den andas alldeles intill mig med sin stinkande andedräkt."

"Vad är det som du känner?"

"Skammen, mamma. Den finns här i huset, den får luften att röra sig och vandrar intill oss. Tere', känner du den också?" frågade hon mig och spärrade upp ögonen, kanske av rädsla för att det bara var hon som förnam den.

"Den är röd som glödande kol och den har horn", sa jag en gång till henne. "Om jag tittar mig i spegeln ser jag inte mig själv, utan den röde djävulen som numera bor inne i det här köket."

Hon ställde sig framför spegeln och synade sig själv först från den ena sidan, sedan från den andra.

"Jag ser den, Tere', jag ser den, jag också."

10

Pappa ville göra oss till riktiga bondkvinnor, och därför klev vi upp klockan tre på morgonen för att gå med honom och mamma till jordplätten som han hade döpt till Stenlotten, ett namn som syftade på det faktum att den rödaktiga jorden var fylld av kalkstenblock som stack upp här och där. Vi ryckte upp kvickroten som växte utmed kanterna, samlade upp oliverna från den svarta duken som de föll ner på när de var mogna, nöp av snyltrötterna från bondbönorna och de små druvorna från vinrankorna. Det var inte av elakhet som pappa gjorde det, det visste jag; han var djupt övertygad om att det var så livet måste fortgå, och att ändra på sitt eget öde var lite som att fuska i kortspel: man förblev en ofullbordad människa. Ett föl som aldrig blir till en häst, ett frö som aldrig blir till ett träd, en kropp utan rötter, och den ursprungliga roten var han, som hade alstrat oss, och nu var han ivrig att innesluta oss i porträttet som förevigade vår familj, att hänga upp oss på väggen, en tjock spik som rispade kalken.

I gryningens stillhet förvandlades längtan efter Giacomo till en ljuv smärta, en skarp smärta som då och då kom fram, som sniglar efter regnet. Bland de vitrappade husen, krönta med moriska kupoler, och de trånga gränderna som fortfarande var nedsölade med piss och ruttna grönsaker, återupptäckte jag ensamheten. Jag viskade hans fullständiga namn, Giacomo Pisanu, fem sex gånger, och medan rösten långsamt kom över mina läppar försvann nostalgin över det som jag aldrig skulle få: den rann av min kropp som sand när man doppar sig i havet. Den löstes upp och gled ut på den där vita stenen där jag som barn hade tagit mina allra första steg och som nu föreföll mig främmande.

"Gå till honom", sa Angelina till mig en morgon, medan gryningskylan fick mina bröstvårtor att styvna och huden att knottra sig. "Gå, skynda dig."

Jag nickade och gjorde en osäker grimas som var en blandning av förlägenhet, förvirring och lättnad. På sätt och vis kände jag att jag inte längre behövde anstränga mig för att spela en roll. Angelinas samtycke räckte för att jag skulle återfå den andra Teresas själ och utseende, den Teresa som jag själv ännu inte kände, flickan som, även om hon fortfarande var skör och oerfaren, också kunde visa sig modig. Jag lämnade henne där hon satt hukad över kvickroten och dök in bland fälten, sprang på grusvägarna medan hjärtat bankade i bröstet. Det var som att plötsligt höja volymen på landskapets ljud, sången från sparvarna som gömde sig bakom olivträden, ödlornas prasslande, herrelösa hundar som ylade i fjärran och vindpustar som fick löven att virvla runt i luften. Jag stod och velade en stund framför den rostiga grinden in till häxans gamla hus innan jag beslutsamt gick mot ytterdörren. Fyra steg till, sa jag till mig själv, bara fyra steg till.

Det första som mötte mig var den gamla sierskans ansikte: jag såg henne sitta på en enormt hög stol och skaka på huvudet, för ingen av oss arma stackare hade ännu insett att vi inte kunde styra över någonting, att vi gick i cirklar. Även om vi kunde återvända till alla vägskäl i vårt liv och varje gång välja den andra vägen, skulle vi i slutändan obönhörligt komma tillbaka till samma ställe igen.

Jag knackade försiktigt på. Jag hann fortfarande ångra mig, men så öppnade Giacomo plötsligt dörren.

"Hej, Tere'. Jag visste väl att du skulle komma."

Hans ord, som var märkvärdigt lugna, gav upphov till en ögonblicklig tystnad, lika tryckande som molnen som kommer med oväder.

"Kom in."

Han drog en trasa över det dammiga bordet och över stolsitsarna. I diskhon stod tre smutsiga vinglas och en halvfull tallrik.

"Jag ber om ursäkt för att det är så stökigt, men jag brukar inte få besök."

Även han var förlägen och tystnaden låg kvar mellan oss under flera minuter.

"Ut med språket, Tere', säg vad du har kommit hit för."

"J-j-jag k-k-kom f-f-för …" Precis som när jag var liten kom orden ur min mun med stor möda, spruckna av rörelse och av rädsla; de låg på rad inuti mitt huvud och tappade bort sig på vägen.

"Jag vet vad du vill säga till mig, Tere'. Alla vet om det."

Var det Angelinas hemlighet han kände till, eller var det min?

Mitt hjärta bultade hårt i bröstet, jag kunde känna det fladdra under blusen som en skrämd sparv. Jag gjorde det enda som jag som barn lyckades bra med, nämligen att räkna. En enkel operation som hjälpte mig att andas lugnare, subtrahera och addera tal för att inte förlora kontakten med verkligheten.

Ett, två, tre … Ett andetag.

Fyra, fem, sex … Teresa, säg något.

Sju, åtta, nio … Vilken är din gåva, Tere'?

Farfar Armando hade berättandets gåva, pappa hade tystnadens. Farmor Assunta hade bondkvinnans visdom. Min mamma och min syster hade skönheten. Och jag då? Jag ska säga allt det som ni inte har sagt. Jag ska säga allt.

Mina tankar rörde sig med livet i gränderna, de följde dess sus, inskränktes och utvidgade sig för att nå en högre omloppsbana och inte behöva utstå kroppens tyngd.

"Angelina är förälskad i baronens son. Hon säger att hon inte vill leva det här livet, att det äcklar henne. Hon vaknar upp här varje morgon, men hon är egentligen någon annanstans. Hon vet inte var hon befinner sig, hon vet bara att hon inte tillhör den här världen. I den här världen har man ingenting om man inte sliter ont för det. Och hon är less på att hanka sig fram. Hon vill inte längre ha det här livet, Giacomo."

Han sa ingenting utan strök bara med handen från munnen upp till ögonen, som var rödgråtna, djupt insjunkna och markerade av mörka ringar. Jag stod alldeles framför honom, som förstenad, det var knappt att jag andades. Jag såg åt ett annat håll för att fortsätta räkna, men talen blev till en lista över möbler och prydnadssaker som fyllde rummet och som jag fäste blicken på för att inte se hans smärta. Tre fotogenlampor på skänken, en lädersäck, terrakottakärlen i köket, en tavla som föreställde Sankt Mikael som jagar bort Satan. Från taket hängde en kedja med en lykta i, på väggen dansade en solfjäder av skuggor och ett grått ljus som lyste upp hans ögon. De var ljusa, hans ögon, med långa, uppåtböjda fransar.

"Folk har sagt det till mig, Tere', men jag ville inte tro på det." Han gjorde en lång paus innan han började gå i en cirkel runt bordet. "Den där mannen är ett kräk, Tere'", sa han utan att avbryta marschen. "Förmodligen inte ett dugg bättre än sin far. Du kan inte förstå, Tere', du såg inte vad baronens lakejer gjorde ute på fälten när de dödade Baggen. Ni kan inte förstå."

Han stannade till vid tavlan av Sankt Mikael och stirrade på den. Hans nävar var knutna, och kindbenen tycktes skilda från ansiktet.

"Jag älskar dig, Giacomo. Jag vet inte vad kärlek är, men jag vet att jag älskar dig." Det kom ut som en viskning, en bekännelse bara för mig själv.

"Jag älskar henne, Tere'. Jag har älskat henne sedan första gången jag såg henne. Säg det till henne. Säg det till henne, du. Dig kommer hon att tro på, du är hennes syster. Människor som baronen utnyttjar oss och kastar sedan bort oss, som om vi vore skräp."

Han kom närmare mig och tog tag om mina axlar. Jag blev tvungen att se honom i ögonen, även om det gjorde ont. Det var inte hans fel och inte heller min systers. Den där fiktionen, den där oskyldiga känslan som avståndet mellan oss skyddade från den fysiska kontakten och från obehaget som min förvirring och min stamning vållade, var bättre än mitt verkliga liv och det var mödan värt att bevara den. Min hjärna radade upp en serie enkla och säkra faktum: att han fanns, även om hans hjärta tillhörde en annan; att han var mig tacksam; att han kanske, för första gången, faktiskt lade märke till att jag existerade.

Jag riktade blicken mot fönstret för ett ögonblick, bortom de immiga glasrutorna där en brådmogen vår kom med de första skotten, och jag kände mig så även jag, som en prematur frukt av en bedräglig årstid, utan vare sig substans eller smak.

"Jag ska säga det till henne, Giacomo, jag lovar."

Han kramade om mig och jag kände hur mina ben gav vika.

"Tack, Tere', du vet inte hur mycket jag uppskattar det."

Hans tacksamhet och kärleken till min syster. Det räckte för mig, en varm och dåraktig illusion, som vissa drömmar i vilka vi återser de döda, och när vi vaknar är vi för ett ögonblick övertygade om att de fortfarande finns bland oss.

VID AVGRUNDEN

1

"Vad har blivit kvar, Tere'? Vad har det blivit kvar av vårt liv?"

Mamma för en hårslinga bakom örat. Hon håller armarna i kors över bröstet och tittar ut genom fönstret, den gamla gränden där jag tillbringade min barndom och min ungdom och som nu, inför min vuxna blick, framstår som oändligt liten.

"Jag vet inte, mamma, jag antar att minnena har blivit kvar. Allt det som vi har varit och som fortfarande gör oss levande."

Jag inser att jag precis uttalade hela ordet "mamma", inte bara "ma" som jag brukar, och för första gången känner jag tårarna bränna i mina ögon vid tanken på att jag lämnade henne och bestämde mig för att leva mitt liv någon annanstans. Nu när jag själv är mamma känns blotta tanken på att min dotter skulle överge mig outhärdlig, även om jag vet att det är så livet är. Vi går till den plats dit alla går.

"Du har alltid varit annorlunda och jag insåg inte det. Du resonerade på ett annat sätt, och vi var allihop för okunniga för att förstå dig."

Ett nätverk av rynkor täcker hennes ansikte, hyn har blivit tyngre och slappa hudpåsar har krympt hennes ögon. Jag tänker att hennes förbannelse kanske har tynat bort tillsammans med skönheten. Kanske känner sig mamma fri nu. Hon gnuggar sig i ögonen och rättar sedan till kjolen.

"Vi måste tvätta din pappa, doktorn kommer och undersöker honom idag."

Vi hjälper honom ner i badkaret, och av blygsel skyler han sina intima delar med händerna, men han motsätter sig inte min hjälp. Han är mycket mager och de blåaktiga ådrorna putar ut under hans hud. Han ligger kvar en lång stund med slutna ögon.

"Ska jag tvätta dig på ryggen?"

Jag ställer frågan så som man skulle ställa den till ett barn, och han nickar utan att öppna ögonen. Han makar sig framåt en bit för att låta mig tvåla in honom, och jag gnider med tvättsvampen fram och tillbaka över de små pucklarna av utstående ryggkotor.

"Du måste berätta den, Tere', historien om din syster. Berätta den för alla. Du har ordets gåva, dottern min. Det är din gåva." Han upprepar det, nästan som om han vet att jag har letat efter den under hela mitt liv.

Även pappa plågas av sina vålnader. Jag har alltid trott att minnet skulle förfölja honom i varje ögonblick, på samma sätt som ett utsvultet djur förföljer sitt byte. Samvetskvalen har satt tänderna i honom och de öppna såren blöder.

Vi hjälper honom upp ur badkaret och mamma torkar honom noggrant, stryker varsamt med handduken över hela hans kropp och sätter sig på knä för att komma åt anklarna och fötterna.

"Hans hud är som silkespapper, ibland känns det som om den ska gå sönder."

Hon säger det som om han inte var där, men pappa ser på mig och nickar. Jag tycker mig ana skimret från förr i hans grå ögon.

"Jag älskar dig, pappa", säger jag i tanken.

Jag har aldrig förmått mig till att yttra den sortens fraser, jag har aldrig sagt till pappa hur mycket jag älskar honom, och inte till mamma heller. Jag växte upp i en tid då man inte satte ord på kärleken.

Vi sätter på honom pyjamasen och pappa tecknar åt oss att han vill sitta framför fönstret. Jag slår mig ner bakom honom medan mamma gör i ordning en kopp varm mjölk åt mig.

"Hur länge stannar du, Tere'?" frågar han och trycker handflatorna mot stolens armstöd. Det verkar som att det kräver koncentration och ansträngning av honom att få ut rösten.

"Jag vet inte, pappa. Så länge det behövs."

"Giulia kanske behöver dig, hon måste sakna sin mamma. Och din man också ..."

"Även ni behöver mig, och Giulia har sin pappa."

Giulia. Jag ville att min dotter skulle växa upp långt borta från mina barndomstrakter; jag hoppades på så vis kunna skydda henne från det liv som jag hade levt, från svärtan som hade befläckat de årens oskuldsfullhet. Jag ville att hon skulle vara omgiven av ett litet, ombonat universum. Hon är inte bekant med ljudet av moderns ängsliga steg om natten, ensam och i väntan, de kalla gatornas tystnad utanför de stängda fönstren, de illvilliga blickarna, det monotona mumlet som förs vidare från mun till mun. Nej, inte Giulia.

Plötsligt försöker pappa böja sig fram för att bättre kunna se ut.

"Minns du, Tere'? Minns du morgonen då baronen var här?"

Även jag stirrar ut på gatan på andra sidan fönstret ... Jag kan alldeles tydligt höra barnens visslingar när de springer och jagar varandra genom gränderna, ljudet av avlägsna steg. Grannfruarnas tjatter når mig som en påträngande sång, surret av getingar, och de överröstar stundtals barnens munterhet. I det här ögonblicket känns det som om jag aldrig åkte härifrån. Barndomens välbekanta ljud hörs återigen runtomkring mig, och om jag blundar ser jag på nytt mig själv som ung och skör, med tunt hår av samma färg som vitvinsdruvor och kristallklara, urblekta ögon. Jag återser den molnstrimmiga himlen mellan hustaken.

"Jag minns, pappa. Det har gått så lång tid, men det är som om det hände igår ..."

Det var sommaren 1953. Angelina, mamma och jag hade nyligen varit på biografen och sett *Pane, amore e fantasia*. Den gången hade även farmor Assunta följt med, nyfiken på att se Gina Lollobrigida i rollen som bar smeknamnet "den uppsluppna".

"Jag vill se de där skönhetsdrottningarna som ser ut som feer", sa hon.

Under större delen av eftermiddagen gjorde hon inte annat än lade handen för bröstet och rabblade böner med dämpad röst, chockerad över oanständigheten hos de vackra och yppiga kvinnorna som tycktes vara helt i greppet på charmerande, romantiska män.

"Er far var lika stilig som dem när han var ung", sa mamma.

"Det är sant", inföll farmor. "Han var verkligen stilig."

Under de senaste månaderna hade pappa slutligen återfunnit sitt gamla kynne. Han hade anslutit sig till de röda unionerna och blivit en kommunistisk syndikalist, precis som Baggen. Bara tanken fick mammas blod att frysa till is, för ortsborna hade aldrig slutat betrakta kommunisterna som konstiga typer, en främmande och farlig sort, även om ändamålet med deras möten var att bilda kooperativ som försvarade böndernas arbetsvillkor. De turades om att hålla mötena hemma hos sig, och ett par gånger under de där månaderna samlades de även hemma hos oss. Köket förvandlades till ett näste inpyrt av rök, jord och kroppsvätskor. Även Giacomo deltog i de där sammanträdena. Han hade ännu inte förlikat sig med Angelinas ointresse.

"Släpp det, käre Giacomo", sa pappa till honom vid ett tillfälle, "för kvinnfolk suger själen ur en."

Jag, för min del, hade vant mig vid att befinna mig i den där stympade tillvaron, att vara en sida på den märkliga triangel med avbrutna hörn som vi tre hade ritat upp.

Kvällen före mötet med baronen tog pappa med mig och Angelina till Torre del Cardo. Jag minns fortfarande den väldoftande vinden som kom från jorden och pappa som insöp den med ansiktet vänt mot himlen. Det var tydligt att han tyckte om den och att den fick honom att känna sig lugn; den trängde upp ur Arneos hud och ur dess innandöme, kittlade hans näsborrar som doften av nygräddat bröd.

"Har jag någonsin berättat om den första gången som er farfar tog med mig hit?"

Jag såg på honom utan att svara. Hans blick grumlades av nostalgi och ängslan. Han hade härdats som ett av sina sekelgamla olivträd, och skägget var långt och tovigt. Han såg ut som en av banditerna i Cardo.

"Jag var ju bara ett barn, och er farfar berättade historien om friherrinnan och om bonden som försökte trotsa förbannelsen."

Angelina tittade inte på honom. Jag såg samma storm i henne som jag såg i pappa, samma kärva snarstuckenhet som reser murar av tystnad mellan dem och människorna de älskar.

"Er farfar sa till mig att vålnaderna ständigt förföljer oss, att var och en av oss har sina egna spöken. Ibland har de fullständiga namn. Vissa gånger – och det är de allra otäckaste vålnaderna – bär de samma namn som vi själva.

"Kom, Tere', skynda dig, pappa frågar efter dig."

Mamma håller i fotot som föreställer dem tillsammans på deras bröllopsdag. Hon har plockat fram det ur sekretären och medan hon ser på det putsar hon av det med en flik av ylletröjan.

"Skynda dig, pappa frågar efter dig", säger hon igen, och jag går sakta in till honom, för jag kan ana att det inte är långt kvar.

Jag lämnar mamma i köket. Jag vet att hon ser sina döda släktingar framför sig medan hon kysser fotona som hon plockar fram ur sekretären, ett i taget; kanske dyker hon ner i saknaden, fäller gamla tårar som är lätta och fina, för det är så gamla människor gråter. De har två sorters gråt, den ena är ljudande och den andra omedveten.

Jag sätter mig bredvid pappa som ligger utsträckt på sängen och han tar min hand.

"'Ta fram min finkostym", säger han och rosslar högljutt.

Det är tredje gången som han ber oss sätta på honom hans finkostym. Han vill göra sig redo.

"Mamma, kostymen."

Hon ser på oss med en flackande, vilsen blick. Hon verkar inte medveten om vad hon nyss viskade till fotografierna, inte heller om var hon befinner sig någonstans och vilka vi är.

"Jag måste berätta allt, Tere'. Alltihop, ända från början, annars kommer jag att dö fördömd."

Jag vet att hon pratar om sig själv och baronen, men jag låtsas inte förstå. Då återupptar hon långsamt, utan att gråta, en bekännelse för de döda och för de levande och för varje generation i vår familj.

Det är pappa som avbryter henne genom att lyfta handen och teckna åt henne att vänta. "Först kostymen, Tere', och sedan historien om Angelina. Döden kan vänta."

2

Så dök baronen upp hemma hos oss en sommarmorgon. Far baron var fortfarande stilig, med ett kattdjurs avvägda, kyliga rörelser och släta, lena händer. Hans ansikte hade med åren blivit lite rundare, men utan att förlora den intensitet som det en gång hade utstrålat. Sonen liknade honom mycket; det enda som skilde dem åt var den yngre baronens fylligare mun och ögonen som var stora och orientaliska, anletsdrag som gav honom ett fogligare och mildare uttryck.

Det var en av baronens lakejer som knackade på dörren: "Baron Personè", meddelade han innan vi hann öppna.

Mammas ansikte blev plötsligt likblekt. Vi hade precis kommit tillbaka från fälten, våra händer var svarta av jord och håret smutsigt och krusigt. Mamma gick bort till byrån, öppnade den ljudlöst och började rota runt i lådorna, drog upp en färgglad snusnäsduk och knöt den runt huvudet. Hon knäppte blusen ända upp i halsen och tvättade av händerna i diskhon.

"Tere', kaffe. Gör i ordning en kopp kaffe åt baronen."

Angelina var ute på gården och hängde upp kläder på tvättlinan, och fick syn på sin älskade först när han hade klivit över tröskeln.

"God dag, signora Sozzu."

Baronen sökte mammas hand och kysste den. Sonen såg på mig, sedan lade han märke till Angelina och log mot henne.

Mamma stod som förstenad framför baronen som inte släppte hennes hand, medan spökena från det förflutna blev till sprickor i väggarna.

"Kaffe, Tere', en kopp kaffe åt baronen." Sedan tecknade hon åt de båda gästerna att slå sig ner.

Den senaste gången som baronen hade varit hemma hos oss var under kriget, när han hade räddat våra kar och husgeråd undan fascistagenternas plundringståg. Nu var kriget över sedan många år tillbaka, men misären var densamma, fäst vid vårt kött som en sjukdom.

Angelina gick fram mot dem, rufsig i håret och med ögon som glittrade på ett sätt som de inte hade gjort på flera månader.

"Ursäkta att vi tränger oss på så här, signora Sozzu. Har ni redan träffat min son?"

Hon nickade och gjorde en antydan till en sorts nigning. "Slå er ner, för all del. Vad kan vi göra för er?"

Jag ställde ner kaffekopparna på bordet, med en klump i halsen. Jag tänkte på Giacomo och på pappa. Vad skulle de ha sagt om de hade fått se far och son Personè i vårt kök?

Angelina kom och satte sig med oss utan att säga ett ord, men hon kunde inte sluta stirra på honom, med uttrycket hos den som är förlorad i drömmen. Jag förstod på de där blickarna vad hon tänkte, för jag hade pratat med henne många gånger om Giacomos kärlek och vid varje tillfälle hade hon ryckt på axlarna för att svara med exakt samma ord: "Jag vet inte, Tere', jag älskar inte Giacomo och jag kommer aldrig att älska honom." Men jag stod fast vid mitt löfte till Giacomo, en tyst kärleksgåva.

"Jag är mycket väl medveten om att er make inte hyser särskilt mycket sympati för mig."

"Åh, nej då, så är det på intet sätt", urskuldade sig mamma.

Mordet på Baggen, slagen som pappa hade tagit emot av baronens lakejer för att sedan komma hem blödande och halvdöd, Giacomo som hade hållits fängslad, hustrurnas och mödrarnas förtvivlade skrik. Baron Personè bar ansvaret för allt det där, och om farmor Assunta hade varit där hade hon sjasat iväg dem, far och son, och sedan hade hon spottat på golvplattorna där de hade trampat med sina getskinnsmockasiner. Vi tillhörde två olika världar och det låg en hel ocean emellan oss. Den enda som inte erkände den avgrundsdjupa skillnaden var Angelina. Jag tror att hon drömde om sin flykt varje dag. Skräcken för att bli som vår mamma, som vår farmor, som Nenenna och Lollina och alla andra kvinnor i vårt lilla samhälle, hade trängt in i hennes blod. På nätterna hörde jag hur hon låg och jämrade sig, vred och vände på sig i sängen. Vissa gånger mumlade hon: "Stick härifrån, vad vill ni mig? Stick härifrån."

Än idag är jag övertygad om att hon var i färd med att jaga bort grannfruarnas utmärglade händer som, dolda i dunklet, försökte gripa tag i henne och dra henne med sig ner i den svarta avgrund där de tillbringade sina dagar. Hela vårt liv rörde sig runt den där avgrundens kant.

"Tiderna har förändrats, signora Sozzu. Numera är även ni ägare till ett stycke mark."

Baronen lade benen i kors och började gestikulera med ena handen. På lillfingret bar han en ring med en stor rubin i. Hans son såg på honom och log.

"Nog ser ni, baronen, att vi är fattiga människor fastän vi har jordlotten."

Mamma svettades, ansträngd i sitt djärva försök att rättfärdiga vår fattigdom som var lite mindre påfallande än den en gång hade varit. Även jag svettades, på grund av hennes förlägenhet, på grund av den knaggliga italienska grammatiken, på grund av det som mamma, i en annan tid, hade kunnat bli. Ibland tycker jag mig kunna höra det avlägsna ekot av hennes röst, den följer mig vart jag än går, som osynliga cikadors sång.

"Vi har trätt in i den moderna eran, signora Caterina." Han böjde sig fram mot mamma, nästan som om han var på väg att ge henne ett hemligt förtroende. Hon ryckte till och drog ett djupt andetag.

"Det sker saker som man förr inte ens kunde föreställa sig, som det faktum att en baron förälskar sig i en bondflicka."

Pratade han om Angelina eller om vår mamma? Jag har många gånger undrat om det var möjligt att träda in i baronens liv och komma ut helskinnad. Jag tror att mamma klev in i det och när hon kände sig fången var det redan försent.

"Fram till för inte så länge sedan, signora Sozzu, var det något absurt, men idag är det naturligt."

Mamma lät förvirrat blicken svepa över rummet, som för att bedöma varje föremåls exakta ordningsföljd. I en avlägsen tid hade hon varit baronens, men hon hade aldrig upphört att tillhöra de där grånade väggarna, de maskätna möblerna, sekretären som svämmade över av foton på döda familjemedlemmar.

"Ni säger alltså, herr baron, att det här verkligen är möjligt?"

Var hade hon blivit av, kvinnan som jag en gång i tiden såg som en drottning? Som vickade på höfterna när hon gick och som hade tagit efter det resoluta uttrycket hos den ryska kvinnan som hon hade tjänstgjort hos? I den där kroppen kunde jag inte längre hitta den frimodiga kvinna som fick grannfruarna att tissla och tassla när hon gick förbi. Hennes ögon hade blivit matta som dammiga spelkulor, på huden en glasartad substans som blottade ådrornas väv.

"Tiderna har förändrats för alla. Våra barn, Giuseppe och Angelina, är förälskade i varandra. Jag kommer inte att leva för evigt och jag vill att min son ska vara lycklig. Jag bryr mig inte om vad er make säger", sa han och strök med handen över munnen, som om bara nämnandet av min pappas namn hade solkat ner den. "Det enda som betyder något är flickans vilja."

Angelina hoppade till där hon satt på stolen och slog ner blicken, överväldigad av förlägenhet.

"Min son vill gifta sig med er dotter och jag har gett mitt samtycke."

3

Hon hade fortfarande inte förmått sig till att yppa ett enda ord som svar på tillkännagivandet, när pappa kom hem. Han stegade ursinnigt fram till bordet, och hans ansikte riste som ett berg på väg att rasa samman. Hans andedräkt doftade av vin från osterian och jag dröjde kvar med blicken på hans händer, på de förstörda fingrarna som var sträva som sandpapper och naglarna som hade gulnat på samma sätt som bränd lera. Baron Personès naglar var genomskinliga och släta. Det vita och det svarta.

"Vad är det som pågår, Cateri'?" Hans blick förflyttade sig från mamma till far baron, och sedan kom rösten tillbaka, den här gången glödande av ilska. "Vad i helvete gör ni här?"

Far baron gav honom ett skenheligt leende.

"Det finns ingen anledning att hetsa upp sig, signor Sozzu. Vi är här i ett glädjande ärende, nämligen att min son, Giuseppe Personè, baron Personès arvinge, vill gifta sig med er dotter, Angelina Sozzu."

Vad hade namnet Sozzu överhuvudtaget med namnet Personè att göra? Det vita och det svarta skulle blanda sig till en matt hybrid, dyster som molnen som kommer med oväder.

Pappa spände sina käkar och nävar och började gå fram och tillbaka i det trånga utrymmet mellan köket och sängen. En osalig ande som irrade omkring planlöst, med ett straff att avtjäna. Angelina knep ihop läpparna för att inte brista i gråt. Jag såg henne

229

på nytt framför mig naken i de skummiga vågorna i Torre San Giovanni. Jag visste att hon skulle göra vad som helst för att få känna sig fri och inte bli som vår mamma. Jag såg på dem båda två, far och mor, och de föreföll mig gamla. Det kändes som om det låg en avgrundsdjup klyfta mellan oss.

"Nu tar ni era saker med er och går härifrån!" utbrast pappa och ställde sig alldeles framför baronen. "Jag vill inte se er här igen. När snön smälter kommer skiten fram."

"Nardi', lugna ner dig, det passar sig inte att använda den tonen."

"I mitt hem använder jag vilken ton jag vill, och jag låter inte ens min egen hustru hindra mig från att säga det som jag måste säga."

"Signor Sozzu, ni glömmer kanske att det är baron Personè som ni talar till, och ni glömmer också vem som äger jorden som ni sliter ut ryggen på varje dag."

En Personè och en Sozzu var som bottenfällningen i det unga vinet, och tillsammans skulle de inte alstra annat än ofruktsamma och torra träd.

"Jag sa åt er att lämna mitt hus!" skrek han medan ådrorna på hans hals svällde upp som blåsbälgar.

Salivstänken träffade baronen i ansiktet, och han drog upp en vit näsduk ur bröstfickan på kavajen och torkade av sig noggrant. När han reste sig såg jag att han var flera centimeter längre än pappa, men kanske berodde det också på att pappa redan hade börjat bli kutryggig och att ungdomens självsäkerhet för tidigt hade ersatts av ålderns töcken.

"Och ni tror er vara en bra far och make? Se på dem! Se på era kvinnor, tre blommor som ni har stympat i förtid."

Han betraktade var och en av oss ingående och det syntes tydligt i hans ansikte, som om en ljuskägla kom ner från himlen och lyste upp det, att han tyckte synd om oss.

"Ut ur mitt hus!" Den här gången artikulerade pappa orden så att varje bokstav hördes tydligt och inte kunde missförstås.

"Signor Sozzu, ni kan inte hindra er dotter från att gifta sig med den hon vill." Nu var det den unge baronen som tog till orda. Det var första gången som jag hörde hans röst och jag tyckte genast om den för dess varma och mjuka toner.

"Och vem är det som säger det? Ni?"

Den unge baronen var mindre än pappa; axlarna var fortfarande späda som på en pojke och ansiktet för ungt för att ingjuta rädsla.

"Min dotter kommer aldrig att gifta sig med er."

"Vi får väl se", sa far baron.

Angelina var min pappas straff, för hans socialistiska idéer, för upproren, för hatet som han hade ventilerat under år av revolt. Inför den skymfen stod vi alla tysta och väntade på att far och son Personè skulle gå sin väg med ett leende på läpparna, medan vi höll blickarna fästa på det slitna stengolvet. I våra ögon fanns en förvirring som gick bortom häpnaden, en spricka som just hade öppnats, en rämna som hotade att klyva vår värld mitt itu.

Det var Angelina som först öppnade munnen: "Jag älskar honom, pappa, jag vill gifta mig med honom."

Jag fick känslan av att hon fick uppbåda alla sina krafter för att hålla tillbaka de andra orden som pockade på att få komma ut.

Pappa lyfte handen för att lappa till henne. De senaste månaderna hade han haft nära till ilskan, och minsta provokation räckte för att han skulle bryta ut i våldsamma attacker. Men den där gången drog han tillbaka handen, överväldigad av en plötslig matthet.

"Jag är trött, jag går och lägger mig."

"Nardi', vi måste prata."

Mamma tog av sig snusnäsduken som hon hade knuten runt huvudet och slängde den på bordet, medan Angelina grät och skakade på huvudet. Tankarna gick åt ett håll och tårarna åt ett annat, hon kunde inte få dem att sammanlöpa och inte heller hejda dem. Hon bara grät, och skälen till det var många, men de utgick alla från samma ställe, vår börd.

"En Personè och en Sozzu kan inte vara tillsammans."

Pappa nöjde sig med att uttala det där obestridliga axiomet, sedan försvann han bakom draperiet som skilde sängen från köket.

Än en gång blev vi tre ensamma kvar, mor och döttrar. Allt hade varit så mycket enklare om Angelina och jag bara hade stannat kvar i barndomen, utan att träda in i det där beståndet av kvinnor vilkas bana redan var utstakad, marionettdockor som gick på led utefter en färdväg som inte tillhörde något eller någon.

"Angeli', min kära flicka, du känner din far. Han brusar upp, men det går över."

"Det går inte över, mamma, det vet jag gott och väl. Han hatar familjen Personè, men Giuseppe har ingenting med det där att göra. Han är inte som sin pappa, och han behandlar mig som en fin dam."

"Äpplet faller inte långt från trädet, Angeli'." Nu var det jag som talade, medan jag tänkte på orden som Giacomo hade sagt till mig. "Det säger ju även farmor Assunta", tillade jag.

"Tere', hur kan du? Förstår inte ens du mig? Varför ska du alltid spela duktig när det handlar om mig och när vi i stället pratar om dig så klarar du inte att vara uppriktig? Har du berättat för mamma om Giacomo? Mamma, vet du att din dotter är kär i häxans systerson? Va, mamma, vet du det? Jag gjorde dig en tjänst genom att inte gifta mig med honom, och det är så här du tackar mig? Sanningen är att jag är ensam, jag är alldeles ensam."

Hon lyfte upp klänningen som släpade i golvet och störtade ut utan att tillägga något mer. Allt jag hörde var att hennes gråt hade blivit till snyftningar och jag visste att jag hade varit grym.

4

När mamma väckte pappa var det redan långt inpå natten.

"Vakna, Nardi', Angelina har inte kommit tillbaka."

Han slog upp ögonen och såg ut som någon som varit långt borta. Han såg sig omtöcknad omkring och gnuggade sig länge i ögonen för att bli kvitt den tunga dåsighet som gjorde det suddigt för hans blick.

"Vad menar du med att hon inte har kommit tillbaka?"

"Jag menar just det, Nardi', att vår dotter stack hemifrån och inte har kommit tillbaka än. Det är mitt i natten, Nardi'. Teresa och jag har förgäves gått runt i kvarteret och letat efter henne. Nardi', hon är inte här."

Vi hade genomsökt gränderna, tittat bland tistlar och tamariskbuskar som växte intill husen, klivit över murblock och trasiga tegelstenar som låg i högar utmed gatan. Kvällen var sval och Arneos väldoftande vind nästlade sig in i gårdarnas krökningar, och dolde lukten av mögel som steg från de underjordiska valven. Under andra omständigheter skulle det ha varit en fantastisk kväll, men utan Angelina var det som om jag inte fick luft. Jag kände redan tomrummet som hon skulle lämna efter sig.

"Vi går hem till Giacomo. Han kommer att hjälpa oss att leta efter henne, och han kanske kan få henne att ta sitt förnuft till fånga. Där det krävs handling räcker det inte med ord. Skynda er."

Stackars pappa, som fortfarande trodde att sierskans systerson,

precis som hans häxa till moster, hade förmågan att läsa männi-
skors tankar och ändra på ödet.

Vi promenerade in på skogsstigen alla tre, var och en med ett
stearinljus i handen. Jag var inte rädd, det var inte djurens läten
som skrämde mig, stojet från fåglarna bland träden och kattugg-
lans gälla hoande. Det som skrämde mig var det som skulle hända
sedan och hur allt skulle ta en annan riktning.

Jag skulle inte kunna säga vad klockan var när vi kom fram
till Giacomos hus. En rund måne lyste högt uppe på en stjärnlös
himmel. Trädgårdsredskapen hängde i prydliga rader på den låga
muren som omgav häxans hus, köksträdgården prunkade av gröna
salladsblad och alla fönster var öppna på vid gavel. Pappa knackade
försiktigt på dörren för att inte skrämma Giacomo.

"Du måste komma, Angelina är försvunnen."

Han upprepade meningen två tre gånger, med allvarsam ton
men utan att skrika, ända tills Giacomos fotsteg hördes.

"Vad menar du med att hon är försvunnen?" Han frågade det
med förfäran och rörelse i rösten, och drog händerna genom håret
flera gånger.

"Jag menar just det, Giacomo, hon stack hemifrån och har inte
kommit tillbaka."

Giacomo ryckte åt sig en skjorta från en av spikarna i muren
och drog snabbt på sig den.

"Har ni letat i skogen?"

Pappa skakade på huvudet.

"Jag kan bara komma att tänka på en plats där hon skulle kun-
na vara", tillade han och stoppade slarvigt ner skjortan innanför
byxorna. Han vände sig om och såg på mig, och i det tysta samför-
ståndet blev jag varse tyngden av mitt löfte.

"Nardi', vi går och kollar vid Torre del Cardo. Det kan väl inte vara så att banditernas andar har rövat bort min dotter?"

"Men vad pratar ni om, signora Caterina? Andar? Banditer? Det är de levande som man måste frukta, inte de döda."

Hela hans moderna sinnelag yttrade sig, hatet mot vidskepelsen och sägnerna. Han hade samma blod som en häxa, men han avskydde dekokter, rykten, historierna om de osannolika varelser som bebodde utrymmet mellan de levande och de döda.

"Min moster spådde i kaffesump. Jag tror snarare att vi själva väljer vårt eget öde."

Jag tänkte på bondekulturens oräkneliga knep för att ingripa i ödet: att inte gå under stegar eftersom det bringade olycka; att äta svalhjärtan för att dra till sig tur; att inte spilla ut salt för då skulle otäcka saker hända. Orden, rädslorna, fobierna förevigades genom att föras vidare från mun till mun, och undermedvetet gillrade var och en av oss egenhändigt fällan som skulle hålla oss fångna på tröskeln till den vuxna åldern.

"Om Angelina har rymt så är det till honom hon har gått", sa Giacomo.

"Nej, min dotter ensam i baronens gods?"

Mamma gjorde korstecknet, för det var en risk som i hennes ögon innebar en större fara än banditernas andar. Det dröjde inte många sekunder förrän min hjärna, som för att spela mig ett fult spratt, förde mig tillbaka till den exakta punkt där den där historien hade tagit sin början. Mamma lade inte märke till att jag i det svaga skenet från stearinljuset betraktade hennes kropp, det grå och det blå i hennes ögon, rynkorna som omgav dem, medan jag sökte efter henne i mitt minne, så som hon såg ut den dagen som hon gick och erbjöd sig till baronen. Den ljusa klänningen som smet åt kring hennes bröst, det tunna skiktet av olivolja på läpparna och håret som var omsorgsfullt fixat. Den vita rosetten i Angelinas hår. Tiden var innesluten i en bubbla; hon hade varit här och hon hade varit där, hon hade varit uppe och hon hade varit nere, hon hade färdats i en cirkel för att återvända till samma synd. Jag rörde vid mina smärtande tinningar. Min mamma som Angelina, Angelina som min mamma, de var bara två sidor av samma grymma förtrollning.

Även familjen Personès gods var detsamma som i mitt minne, det stora huset av spunnet socker som jag som liten flicka tyckte såg ut som ett slott för kungar och drottningar. Pappa började ropa, sedan gjorde Giacomo detsamma och till sist även mamma. Det var en tyst värld av stängda fönster och släckta lampor. Sedd så där, från andra sidan av den tunga järngrinden prydd med sirliga ornament, såg det nästan ut som ett övergivet hus.

"Angeli'! Angeli'!" ropade pappa. "Ge mig genast min dotter tillbaka, din fähund! Jag ska döda dig med mina bara händer!"

Under tiden plockade Giacomo upp en näve stenar från marken och kastade den mot väggarna och fönstren.

"Gör inte så här mot oss, dottern min."

Mamma slet förtvivlad sitt hår, som om hon ville rycka loss det. "Jag kommer att dö fördömd, jag kommer att dö fördömd!" skrek hon.

"Angeli', gör inte så här mot det här huset, Angeli'", mumlade jag.

Giacomo uppfattade min bön och släppte modfälld stenarna på marken. Det var otroligt, men hennes dröm hade blivit min. För mig tillhörde Angelina en än större dimension, en obestämbar plats i själen där övertygelsen om att min räddning var underordnad hennes var rotfast. Jag kände mig kluven i två delar: kroppen som ville fly och själen som ville stanna kvar.

Efter några minuter kom baronens lakejer mot oss med dubbelbössan hängande över axeln. "Baronen hälsar att antingen sticker ni härifrån omedelbart eller också låter han arrestera er."

Pappa gick närmare grinden och grep tag i de dyrbara stängerna i smidesjärn för att försöka rycka upp dem ur marken. "Hälsa baronen att antingen ger han mig min dotter tillbaka eller också dödar jag honom."

En av lakejerna flinade och blottade en rad av trasiga tänder. En tredje lakej kom emot oss med två morrande hundar i koppel. "Och försök inte ta er över grinden för då sliter hundarna er i stycken."

Sedan sa de inget mer utan såg bara på oss, en åt gången, släppte lös hundarna och gick sin väg. Pappa och Giacomo försökte lyfta av grindarna, men hundarna kastade sig dreglande mot dem.

"Det finns inget mer vi kan göra. Vi har förlorat Angelina." Efter att mamma hade yttrat de orden segnade hon ihop på marken som ett tomt bylte. "Tere', kom till din mamma, åtminstone du."

Jag gick fram till henne, satte mig ner och kramade om henne.

"Alltihop är mitt fel", fortsatte hon. "Det är jag som har fått henne att bli så här. Jag har överfört min förbittring över det här livet på henne."

"Mamma, Angelina är som hon är, du har ingenting med det att göra."

"En mor har alltid med det att göra, dottern min, kom ihåg det. Hon har alltid en del i det."

Jag tyckte att hon verkade ha krympt under samvetskvalens börda, dragits ner i underjorden där tiden förflyter sakta och giftig, oföränderlig; även hon var fången i samma trånga låda som inneslöt Angelina och mig.

Vi inväntade gryningen så där, utsträcka på kullerstenen, utmattade och tysta. Jag slumrade till en stund och drömde om mig och Angelina i havet. Några bländande ljusglimtar fick hennes ögon att glittra. I drömmen log min syster och även jag kände mig lycklig. Havet var stilla, bara då och då fnös det som någon som vänder sig oroligt i sängen.

När jag öppnade ögonen igen trodde jag först att bilden som kom emot mig hörde till drömmen. Det var Angelina, iklädd ett kritvitt, formlöst spetsnattlinne som nådde henne ända ner till skenbenen. Den unge baronen gick bredvid henne, och hennes vita nattlinne fick hans svarta kostym att se ännu mörkare ut. Bakom henne, på morgonhimlen, avtecknade sig några moln mot den blå himlen och runtomkring hördes bara sparvarnas livliga kvitter inifrån träden. Jag undrade om det verkligen fanns moln, och sparvar, i drömmarna.

"Angeli'! Angeli'!" Mamma vrålade rakt ut.

På den tiden väckte hennes skrik ömhet i mig, men det är först nu när jag själv är mor som jag verkligen kan förstå hur hon måste ha känt sig med de där oöverkomliga järnstängerna och de ilskna hundarna och lakejernas gevär mellan sig och sin dotter. Nu inser jag att det inte bara var smärta; det var knivar som trasade sönder hennes inre. Angelina var verklig, precis som baronen vid hennes sida.

"Din skitstövel, ge mig min dotter tillbaka!" fortsatte hon.

Morgonsolen målade en ring av eld bakom henne. Även hon var en ljusfläck. Angelina kom emot oss med tårar i ögonen och läppar som darrade.

"Jag är ledsen", sa hon, "men jag hade inget annat val."

Vi fyra stod på rad framför den dyrbara grinden in till härskarens villa, och hon stod på andra sidan. Men det fanns så mycket mer som skilde oss åt. Lätta moln svävade trevande bakom min syster, som en fond till sparvarnas och skatornas flykt, som för att antyda främmande rum, mer vidsträckta, himmelska. Kanske sprang Angelina emot oss, nu var hon klar och tydlig för min blick, jordisk, skimrande vit i gryningsljuset, skir och lika lätt som de där molnen, skapt av samma materia som drömmen. Jag hade förlorat henne, och när den insikten fick fast form var det som att få ett hårt knytnävsslag i magen.

Hon såg på mig med en ömkande blick, som om hon sa till mig: "Jag klarade det, Tere', nu är det din tur."

"Ge mig min dotter tillbaka."

Den här gången var det pappa som talade, med en sprucken röst som hakade upp sig, med samma darrning som när han var tvungen att underteckna ett dokument. En trevande handstil som flöt ut och spretade åt alla håll.

"Oroa dig inte, pappa, det blir bra så där", mumlade jag alltid när jag såg honom röra pennan med osäker hand. Han var stor och stark, men så ynklig inför det stämplade arket. Den unge baronen hade samma effekt på honom som det skrivna bladet, för han hade det allra värsta uttrycket ingraverat i pannan, den obestridliga domen: "Du är en bondtölp och jag är en baron."

"Jag är ledsen, signor Sozzu, er dotter har tillbringat natten här och nu tillhör hon mig. Ni vet mycket väl vad alla skulle säga om jag gav henne tillbaka till er nu. De skulle få henne att drunkna i skam."

Skammen.

Giacomo började sparka på stenarna runtomkring sig och klamrade sig fast vid grindens järnstänger.

"Vi bryr oss inte ett dugg om skammen. Ge henne tillbaka till hennes far och mor."

Skammen fanns överallt. Skam och förtal. Förtal och skam.

Jag mindes tydligt när farmor Assunta pratade om den med mig och Angelina när vi var små, eftersom förtalet förföljde vår mor under krigsåren. På den tiden föreställde jag mig den inte som ett dött ting utan som något fysiskt, materia i stånd att ändra skepnad, att nästla sig in under dörrarna, att gömma sig bakom lädersäckar och kar, att lösgöra sig ur de allra djupaste underjordiska valven.

Mamma klamrade sig fast vid pappas arm. Hon var utmattad. "Nardi', det finns inget mer vi kan göra, det är ett oåterkalleligt faktum nu."

Sedan såg hon rakt på Angelina. Jag gjorde detsamma, och letade i hennes ansikte efter spåren som ödet redan hade dragit upp för henne.

"Jag är ledsen, mamma, förlåt mig. När djävulen rör vid en vill han ha ens själ. Tere', jag ber även dig förlåta mig."

Det var den sista ömsinta blicken mamma gav sin dotter. Hennes läppar hade dragits tillbaka, klistrat sig mot tandköttet och öppnat en smal glipa som påminde om en döendes sista andetag. En öm viskning, som en stum bön.

"Förlåt mig, mamma."

Det var allt Angelina förmådde tillägga. Kort därpå skulle hon bli friherrinnan Personè. Allt jag visste var att jag hade förlorat henne. I det exakta ögonblicket, i den där trädgården som tycktes angenäm av färger och ljud, öppnade sig en djup reva i min mage. Jag kände sorgen tränga in i mitt kött, och i mitt huvud ekade den gamla vanliga grymma ramsan: "Jag känner dig, du är ingenting."

5

Det var baronens hantlangare som kom och överlämnade inbjudan till bröllopet. Vigseln skulle förrättas den 15 juli. Pappa rev sönder den i småbitar och slängde den på gatan. "Jag vill inte längre höra att jag har två döttrar, Cateri', för jag har bara en. Den andra existerar inte längre, nu tillhör hon Personès släkte. Hon är nedsolkad med smuts."

När mamma hörde honom säga de där sakerna grät hon, men sa inget för hon visste att det inte skulle tjäna något till.

De hade alltid berättat för mig – och det bekräftas också av vissa teorier som jag senare har läst om – att kärleken gör människor bättre, men jag hade känslan av att det var annorlunda för Angelina, och även för Giacomo: kärleken som han hyste för min syster hade inte förbättrat honom, tvärtom. Jag såg honom irra omkring i gränderna som en fördömd själ, med långt, ovårdat hår och tovigt skägg. Han kom alltmer sällan hem till oss, och han hade blivit snarstucken och argsint av sig. Ett par gånger, inne i don Beppes handelsbod, hade grannfruarna berättat att han ofta muckade gräl med de andra bönderna och klådde upp dem som inte tyckte som han. Specerihandlarens skvallriga dotter sa att hon med egna öron hade hört honom gå ensam på gatorna och svära över den heliga jungfrun, över alla helgon och invånare i den där "gudsförgätna världen" – det var så han kallade den – som han levde i. Han gick runt och sa det med hög och klar stämma, nästan som om han ville att någon däruppe skulle höra honom. Grannfruarna hade tagit emot det där sista yppandet med skratt och blickar av samförstånd. Jag visste vad de ville säga: "Galen precis som sin häxmoster", eller ännu värre: "Galen på grund av Angelina Sozzu, baronens slinka."

Och som om det inte var tillräckligt illa redan insjuknade farmor Assunta från en dag till en annan, men inte i en sjukdom som genast skulle leda till döden, utan av en långsam mask som hade angripit hennes tankar och minnen. Det hände utan något klart skäl. Det var Nenenna som kom och kallade på oss, en kväll i juni. "Skynda er, skynda er", ropade hon genom dörren, "Assunta har demonen i sig."

Vi störtade dit allihop, pappa medan han svor över helgonen och över det fördömda ödet som hade dragit förbannelsen över vår familj. När vi kom dit satt hon och örfilade sig själv och slet sitt hår, samtidigt som hon skrek som om en kniv höll på att klyva henne mitt itu.

"Men vad är det som pågår?" skrek pappa och fattade henne i armarna.

Hon såg på honom med glasartad blick: "N-a-a-ardi'", sa hon och drog ut på namnet nästan som om hon plötsligt hade förlorat begreppet om bokstäverna och deras längd, och svepte sedan med blicken över golvet, i jakt på den demoniska sak som hade tagit hennes kropp i besittning. Hon genomfors av skälvningar och rysningar som fick hela henne att skaka.

"Vad har hänt, Nardi'? Vad tar det åt henne? Hon har alltid varit vid sina sinnens fulla bruk."

Vi lade henne på sidan på sängen och bäddade ner henne under ett blommigt lapptäcke, fastän det var sommar. Sedan gick pappa och ringde efter doktorn.

"Farmor, hur känner du dig?" frågade jag, medan jag såg henne stirra upp i taket med tom blick.

Hon nöjde sig med att se på mig med samma omtöcknade uttryck som ett spädbarn som fortfarande måste bekanta sig med den här världen.

"Det är huvudet", fastslog doktorn snart. "Vi måste göra några undersökningar, men oftast – det vill jag göra er beredda på – brukar sådana här saker, när de väl har börjat, bara förvärras."

Han var en kortväxt och kraftigt byggd man, och över hans blanka huvud löpte en lång mittbena som delade hans glesa kalufs mitt itu. Han såg på oss en och en, gav mig ett hastigt leende och skyndade sig sedan att ta farväl, som om han plötsligt hade bestämt sig för att han inte ville vara kvar där längre.

Farmor Assunta började svamla igen: "Anna, Anna, det finns bomber … Skynda dig, här kan vi inte stanna längre."

Anna var farmors syster som hade dött i lungtuberkulos när hon var femton år gammal. Bomberna hon talade om var de som hade fallit under första världskriget.

Sedan började hon rabbla minnen som hörde till hennes förflutna och till hennes barndomshem. En uppräkning av svunna föremål och saker som dog bort i ett avslutande mummel och blandade sig med ord som då och då snodde ihop sig och blev fullständigt obegripliga. Pappas ögon blev blanka och han vände huvudet åt andra hållet för att slippa se henne i det där skicket. Jag gick närmare henne och satte mig ner bredvid den näpna kroppen som låg hopkrupen som en nötkärna under lapptäcket. Jag tog hennes hand, och för ett ögonblick upphörde ramsan av föremål.

"Anna, så vacker du har blivit", sa hon till mig. Men uttrycket i hennes ögon var frånvarande, inuti dem blänkte ett arkaiskt ljus och resten var bottenlöst mörker. "När kom du tillbaka, Anna?"

Jag gjorde några försök att påminna henne om att jag var Teresa, hennes barnbarn, men sedan förstod jag att det inte tjänade något till och att varje försök att föra henne tillbaka till verkligheten gick om intet.

"Jag kom tillbaka idag", sa jag då, "och nu är jag här för att stanna."

Hon blev glad över den bekräftelsen och log mot mig. "Anna, så vacker du har blivit."

Jag tyckte att även hon var vacker i det ögonblicket, vacker och bortkommen. Från den kvällen turades mamma, Nenenna och jag om att ta hand om henne. Hon hade inga krämpor som hindrade henne från att gå och äta, men hennes hjärna rörde sig i fel riktning, den genomfor på nytt livets alla stadier för att störta tillbaka ner i en primitiv värld i vilken till och med kylan och värmen, mättnaden och hungern, det goda och det onda var absurda och meningslösa chiffer. Hon hade förlorat kommandot över sin kropp och såväl gäspningarna som kisset kom helt okontrollerat. Den dimension som styrde hennes undermedvetna var för oss okänd, det var samma ockulta kraft som i korta ögonblick gav henne förnuftet tillbaka. Vid de sällsynta tillfällena förändrades plötsligt hennes blick; på samma sätt som ansiktet förvandlas och skiftar färg i skenet från ett stearinljus, återfick hennes ögon ett jordiskt ljus och samtidigt en fond av sorgsenhet.

"Var är Angelina? Jag vill träffa henne", sa hon en gång.

Då vände sig mamma till prästen, som såg till att skicka efter henne.

Hon kom fem dagar före sitt bröllop. Det var en söndag och vi var där allihop, mamma, Nenenna och Lollina. Hon hade på sig en frasande taftklänning och höga klackar som framhävde hennes smala anklar. Hon var fantastiskt vacker. Hon slängde sig om halsen på mig och jag drog in hennes doft med slutna ögon. Jasmin. Mamma hade bedyrat och svurit på att ifall hon klev över den där tröskeln skulle hon inte så mycket som se på henne, men när hon väl hade henne framför sig kunde hon inte hålla sig. Hon kramade henne hårt och grät högljutt.

"Titta, mina damer. Se vem som är här."

Farmor Assunta satt framför fönstret med ett täcke över benen, fastän det var stekhett de där dagarna.

"Anna, så vacker du har blivit."

Angelina såg på mig och jag nickade åt henne. Jag förstod där och då att i farmors sinne var Anna det vackra och goda i livet. Kort därefter skulle jag förstå vad det fula var. Under de senaste veckorna hade hon ihärdigt försökt hejda den brusande strömmen av tankar, men de rörde sig oberoende av hennes vilja, dök upp i hennes huvud som fransarna på en varp som hon inte klarade att få ihop igen och som ständigt gled henne ur händerna. Jag förstod att ansträngningen gjorde henne modfälld och förvirrad; farmor Assunta var fången i en kropp som inte längre tillhörde henne, i en svartvit dagerrotyp från en annan tid. En sista besatthet hade fått greppet om henne, nämligen att gång på gång skriva sitt till-talsnamn, Assunta, på tiotals små papperslappar som hon rev ut ur skrivböcker och tidskrifter. Assunta. Armandos hustru, Nardos mor. Assunta. Assunta. Men under de där dagarna hade hennes hand börjat skriva allt knaggligare, och handstilen var osäker och allt svårare att tyda. Hennes namn hade en början, men slutet flöt ut i en darrig linje. Papperslapparna som hon hade skrivit tidigare hade blivit otydbara även för henne själv och därför nöjde hon sig med att se på dem, att koncentrerat stirra på dem, i hopp om att kunna tolka dem. Sedan knycklade hon ilsket ihop dem, men hon hade inte mod att slänga dem. Hon gömde dem i byrålådorna, un-der kudden, strödde ut dem runtomkring sig som spår att lämna till de efterlevande.

6

"Hur mår pappa?"

Angelina slog sig ner bredvid farmor Assunta som stirrade tillbaka på henne och då och då lyfte ena handen för att smeka hennes ansikte och hår. Hon nådde inte ända fram men lät handen följa Angelinas konturer, som en målare i färd med att ta måtten innan han påbörjar sin skapelse.

"Han mår bra", svarade mamma, och underlät att säga att han hade nått den nivå av mutism som gör en likgiltig för allt, ett sätt att ge sig av utan att gå ut genom någon dörr. "Och hur mår du?" frågade hon tillbaka.

Angelina log med sina blanka ögon. Hon visste inte att vår mamma varje eftermiddag gick vägen som ledde till det vita godset, utan att någonsin gå ända fram, utan bara för att på avstånd betrakta väggarna som inhyste hennes dotter, i hopp om att se henne dyka upp bakom ett träd eller få en skymt av hennes gestalt genom en gardin. När hon kom hem igen arbetade hennes fot raskt på vävstolens trampor; smärtan rann av henne och lämnade spåren efter sin genomfart i hennes ansikte.

Vad beträffade mig hände det ofta att jag drömde om henne, och i drömmarna såg jag en ung kvinna som var hon men samtidigt inte, med blont, silkeslent hår som liknade mitt, men med Angelinas ansikte. Jag hörde ett skratt som började lågmält, som sådana där lätta snöfall som sedan blir intensiva och ymniga, ett kvinnoskratt som plötsligt tystnade. Det blåste. En kall och bitande mistral som piskade träden. Kvinnoröster och mansröster som blev till ett sorl och överröstades av en melodislinga, ett mjukt och hjärtslitande musikstycke som Angelina och jag hade hört en gång på biografen. Det komponerades och upplöstes, ända tills allt blev mörkt, släcktes på färg och på ljud, och då vaknade jag. Jag ropade min systers namn, men hon var inte där. Jag sökte efter henne med blicken innan jag återfick kontakten med verkligheten och mindes förlusten av henne.

"Angeli', min flicka, jag måste visa dig en sak innan du ger dig av."

Jag såg mamma försvinna in i farmor Assuntas sovrum, ett halvdunkelt rum som skrämde mig när jag var liten på grund av de dystra helgonbilderna som hängde på väggarna. Stora och mörka målardukar som tycktes sluka mig. Snart såg vi henne dyka upp igen med den vita klänningen upphängd på en galge, ett fluffigt moln som i hennes händer blev ännu mer voluminöst.

"Den här klänningen bar jag när jag gifte mig med din far."

Innan Angelina hann röra vid den skickade Nenenna, Lollina och även farmor Assunta runt den mellan sig, vägde tyget i händerna och smekte brodyren. Lollina fick tårar i ögonen.

"Anna", sa farmor Assunta med häpen uppsyn, "du har inte berättat för mig att du ska gifta dig."

I Angelinas ansikte såg jag samma häpna och lyckliga uttryck som hon som barn fick inför en fin överraskning. "Men vad gör du, mamma? Jag förtjänar inte din klänning. Tere', se så fin den är, jag förtjänar den inte, eller hur?"

Mamma gned med handen över klänningens mörknade fåll. I veckningen fanns grå smutsränder som hon försökte tvätta bort med saliv.

"Min dotter ska gifta sig och jag har alltid sagt att min klänning ska gå till den första av mina döttrar som står brud."

Angelina gav henne en hård kram och grät så mycket och så inlevelsefullt att ingen av oss kunde låta bli att göra detsamma. Även farmor Assunta, som ingenting mindes av far och son Personè och hela deras släkte. Jag tänkte att min syster hade valt sin väg och att det kanske var min tur att göra detsamma nu. Jag sa till mig själv: "Jag måste vara glad. Angelina är lycklig, och det måste jag också vara. Den soliga morgondagen, den svala vinden i håret, det frodiga landskapet och den ljuva, trivsamma bygden. Jag måste vara lycklig", sa jag till mig själv om och om igen och ju mer jag upprepade det, desto mer hopade sig bilderna i mitt huvud. Det nedsvärtade köket, den utnötta klinkern, hönsskiten som smutsade ner gården, mina urblekta kläder och skorna vars sula hade lossnat. Bilder som anföll mig alla tillsammans. Min puls ökade och mina knän skakade. Framför mig såg jag dimman i en återvändsgränd som gjorde det suddigt för min blick.

I det ögonblicket kom pappa, förstummad vid anblicken av kvinnorna som allihop satt och grät runt brudklänningen. Jag kände hur min kropp skälvde till och runtomkring honom såg jag glorian av ensamhet som omsvepte hela hans gestalt och förhårdnade hans ansikte.

"Vad är det som pågår?"

"Pappa, jag kom hit för att träffa farmor. Jag fick veta att hon inte mår bra och att hon yrar."

Han såg på Angelina med tomma, grå ögon. "Man kan inte veta vilken effekt smärtan har på andra människor. Tanken på en sondotter som gifter sig med sonen till en fähund kan driva en till galenskap."

"Vad är det du säger, Nardi'?" Mamma rynkade pannan.

"Jag säger det som du just hörde. Angeli', har du någonsin frågat din farmor hur hennes far dog?"

Angelina smackade med tungan mot gommen och såg på farmor Assunta, som dock var helt upptagen med att se på sina egna händer. Hon höll upp dem framför sig och inspekterade dem, nästan som om de där fingrarna, hela kroppen, inte tillhörde henne, därför behövde hon studera dem noggrant och bekanta sig med dem.

"Vet du det, mamma?"

Mamma slog ner blicken och stirrade på en obestämbar punkt på golvet.

"Gå härifrån nu", sa pappa till Nenenna och Lollina.

De hade båda vant sig vid den där nya sidan hos pappa – som plötsligt dök upp och inte visade någon hänsyn – och gav sig genast av.

"Han dödades som en hund, Angeli', med sjutton knivhugg. Han arbetade som godsförvaltare åt den gamle baronen, din älskade Giuseppes farfar." Han spottade på golvet efter att ha uttalat hans namn. "Baronen anklagade honom för att ha stulit pengar från honom, men han gjorde det bara för att han inte stod ut med det faktum att lantarbetarna lyssnade mycket mer på förvaltaren än på honom själv. Baronen har alltid varit en girig och förhatlig man. Din gammelfarfar var på väg hem från åkrarna när baronens lakejer stoppade honom och stack kniven i honom inte mindre än sjutton gånger."

Farmor Assunta blickade ut mot gatan på andra sidan fönstret och viskade stilla Annas namn, som en bön.

"Det är från det här monstret som din blivande make härstammar, kom ihåg det, Angeli', och håll alltid i minnet att äpplet inte faller långt från trädet."

Klänningen gled ur mammas händer. Det var alltså det som var det onda. Anna var det goda, baronen var det onda. I farmor Assuntas huvud, som numera resonerade med ett barns naivitet, existerade bara de goda och de onda, det vita och det svarta. De oändliga nyanserna däremellan hade hennes sinne utraderat, frigjort sig från så som man frigör sig från sådana onödiga ting.

"Gå härifrån nu", sa pappa strängt till henne. "En dotter som sluter förbund med den där fähunden är inte längre en dotter för mig."

Och så, medan jag såg Angelina gråtande gå ut genom dörren, dök ett minne plötsligt upp för min syn, bilden av mig och Angelina som barn, när hon drömde en mardröm och jag inte räckte till för att trösta henne. Vi klev upp ur sängen och drog det tunga draperiet åt sidan, och ställde oss hand i hand framför mamma och pappa. I mitt minne var vi iklädda bara vita trosor som var uttänjda i midjan. "Vad är det?" frågade pappa. "Angelina drömde en mardröm." "Det är ingenting", sa han. "I drömmarna finns det inget som verkligen är otäckt. Blunda och tänk på något fint, så ska ni se att det går över."

7

Jag återsåg Angelina några dagar senare. Jag var på väg hem från farmor Assunta och hon promenerade på andra sidan gatan. Hon kom emot mig nästan förlägen, medan hon tog sig för pannan och flackade med blicken åt alla håll. Det där tafatta sättet, som var så oförenligt med henne, gjorde mig rörd. Jag brydde mig inte om att hon skulle gifta sig med sonsonen till en mördare, att grannfruarna viskade när de gick förbi henne, för förtalet fanns överallt och solkade ner livet för oss alla. Hon var min syster. Det var det enda som räknades.

"Angeli', vill du åka till havet? Bara du och jag, som den där gången i San Giovanni."

Hon lyfte handen och med en fjäderlätt rörelse lade hon den mot min, en smekning med fingrarna mot min handflata. Sedan nickade hon.

Vi tog linjebussen. Under färden, medan vi betraktade husen och fälten som svischade förbi, sneglade jag då och då på mitt och Angelinas ansikte i fönsterrutan. Ingen skulle ha gissat att vi var systrar, det fanns inte en endaste likhet mellan oss. När jag mötte hennes beslöjade pupiller var det som om min strupe snördes samman. Två trasdockor slängda hit och dit av stora händer som lekte med att tänja ut våra armar och våra ben.

"Angeli', du är så vacker. Jag hoppas att baronen gör dig lycklig."

Hon sa ingenting. Det verkade som om tystnaden hade gripit tag även i henne.

Vi kom fram till havet men badade inte; vi satt bara och såg på horisonten, ända tills Angelina tog ton i en visa som kvinnorna brukade sjunga ute på åkrarna. Brustet hjärta, hette den. *"Du är vind som inte får grenarna att svaja, du är som säd som inte alstrar någon halm, du är som sol som inte värmer löven, du är som en åsna som inte drar och inte skriar."*

Även jag kände mig så, som vind som inte får grenarna att svaja, säd som inte alstrar någon halm, sol som inte värmer löven och en åsna som inte drar och inte skriar.

Kände du dig också så, Angelina?

Två dagar senare, en varm julimorgon, skred Angelina mot kyrkan Santa Maria Annunziata, eskorterad av den äldre baronen och ackompanjerad av klämtningarna från fästningens klocktorn som hördes i hela bygden. Pappa hade vägrat närvara vid bröllopet. Han och mamma hade haft ett hetsigt gräl kvällen innan. Pappa hade slagit sönder två tallrikar i diskhon, mamma hade gråtit floder och båda hade brusat upp och svurit över dagen då de träffades.

En regnig dag många år tidigare. Hon hade hänförts av hans vänliga sätt, av raden av kritvita tänder och av de breda, starka axlarna. Han hade förhäxats av hennes skönhet. Nu förnekade de bittert varje ögonblick som de hade tillbringat tillsammans, och kanske frågade de sig vilken som egentligen hade varit vändpunkten då allt hade börjat gå åt motsatt håll och deras vägar, i stället för att löpa samman mot en bestämd punkt, hade delat sig och börjat gå i olika riktningar.

Pappa hade gått hemifrån mitt i natten, kanske för att sova vid oljepressen ute bland fälten, och hon hade suttit och arbetat vid vävstolen till sent inpå natten.

"Du behöver inte oroa dig, dottern min", hade hon sagt till mig. "Du kommer att träffa en bra ung man som älskar dig och som kommer att behandla dig som en fin dam, precis som din syster. Minns du fotot som ligger i sekretären?" frågade hon sedan och gestikulerade yvigt. "Gå och hämta det."

Jag gjorde som hon sa, och höll upp fotot framför henne som om det var första gången hon såg det.

"Vill du veta sanningen, Tere'? Sanningen är att mannen som står där bredvid mig i själva verket inte finns vid min sida sedan en tid tillbaka. En lång tid tillbaka."

Morgonen därpå rullade hon ut en röd sammetsmatta från vår ytterdörr ända bort till hörnet av gränden, och blomsterhandlerskan kom och strödde ut vita rosenblad på den. Det spelade ingen roll att bruden inte skulle börja sin vandring till kyrkan från sitt eget hem; alla måste minnas att hennes mor hade följt henne, om än bara i tanken, ut ur huset där hon hade vuxit upp.

Hon hade gråtit hela natten. Om det var av glädje eller av sorg vet jag inte. Hon hade klivit upp i gryningen för att tända ett vaxljus för den heliga jungfrun och blivit sittande på knä i en timme framför sekretären, där hon hade radat upp vaxljuset, en staty av jungfrun och så ett litet porträtt av Jesus, ett sådant där Kristus hjärta är målat som en sol som utsänder ljus åt alla håll.

"Kom, Tere'. Kom och be för din syster, du också."

Så även jag gick ner på knä, och avslutade hennes böner med ett dämpat "amen".

"Maria, heliga Guds moder, beskydda henne. Jesus Kristus, låt ditt ljus lysa över henne."

"Amen."

"Maria, heliga Guds moder, vaka över henne. Jesus Kristus, skydda henne från faror."

"Amen."

Och så där fortsatte vi ända tills sju klämtningar hade hörts från kyrkklockan.

"Nu gör vi oss i ordning."

Hon strök med handflatorna över ögonen några gånger och harklade sig eftersom hennes röst hade blivit hes av rörelse. Jag visste inte vad hon kände i den stunden, men jag kunde föreställa mig att hon upplevde samma tumult som jag, lycka blandat med en underton av obekant och oförklarlig ledsamhet, ett slags föraning om det som komma skall.

För det festliga tillfället hade mamma sytt sig en glansig grå dräkt med en snäv kjol som nådde henne ner till vaderna. Jag skulle bära en smörblomsfärgad klänning som satt lite säckigt på min späda kropp, men den frasade mot huden och var sammetslen.

Våra höga klackar trängde ner i springorna mellan gatstenarna och tvingade oss att sakta ner på stegen. Vi kom ikapp kortegen i närheten av klocktornet, där andra grannfruar hade slutit upp bakom bruden, medan far baron stolt stod och kråmade sig.

"Det vackraste kvinnan i hela Copertino!" gastade en ungkarl som stod i vägkorsningen och väntade på att kortegen skulle gå förbi. När han fick syn på Angelina i sin vita klänning började han fläkta sig med händerna för att hämta sig från febern som anblicken av den vita strålglansen åsamkade honom.

Husfruarna stod på de rundade och blomprydda balkongerna och kastade riskorn och blomblad. Småbarnen sprang runt och jagade varandra, sicksackade sig fram i kortegen av gäster och nyfikna åskådare som blev allt tätare efter hand som den närmade sig kyrkan. Flickorna som var i giftasålder suckade drömskt. En bonddotter som blev friherrinna. Kysst av lyckan. Vem hade någonsin kunnat drömma om det?

Angelina hade blivit lite rundare under de senaste månaderna, kanske på grund av välbefinnandet som kärleken hade skänkt henne. De där extrakilona gjorde henne ännu mer tilldragande. Hon var lycklig, det syntes. Verkligen lycklig. Och även jag kände mig lycklig för hennes skull. När hon svängde runt hörnet av fästningen stannade hon till ett ögonblick, såg ner i marken och hämtade andan. Baronen böjde sig oroligt över henne. Jag iakttog scenen ingående, för att kunna analysera den ordentligt när lugnet väl hade lagt sig. Den argsinte, tväre mannen, den arroganta mördaren som alla kände, föreföll mig i det ögonblicket öm och omtänksam. Jag visste att jag inte kunde förlita mig enbart på det intrycket; vi är det som vi ger till andra i det långa loppet, i de bra stunderna såväl som i de dåliga. Men i det ögonblicket valde jag att bevara enbart baronens fina stunder.

"Mår du bra, lillasyster?" frågade jag när jag hade kommit ikapp henne några få meter från kyrkan.

Hon nickade, rättade till slöjan och såg sig om åt alla håll.

"Herregud, så mycket människor", utbrast hon, gripen av en plötslig rädsla.

"Alla har kommit för att se den vackraste kvinnan i hela Copertino gifta sig", sa jag till henne och log.

"Och om baronen inte gör dig till en lycklig hustru så svär jag att jag kommer att bryta nacken av honom med mina bara händer", varnade mamma.

"Och era barn kommer att vara de sötaste i hela världen." Nenennas muntra röst nådde oss bakifrån.

De orden fick mig att spritta till. Jag hade ännu inte tänkt på det nya liv som väntade henne efter vigseln, arm i arm med baronen, som man och hustru. Allt hade hänt så snabbt, det hade inte funnits tid att beakta varje aspekt. Min syster som hustru. Min syster som mor. Hon förberedde sig för att inom en snar framtid nå alla etapper som var förutbestämda i en kvinnas liv. Jag kände mig fortfarande som samma ofullbordade varelse som jag hade varit som barn. Prydnadssaken som de flesta inte lägger märke till.

Under tiden hade även orkestern, som baronen hade skickat efter från Taranto, tagit plats mitt i bröllopskortegen. Musikerna skred fram med halvslutna ögon för att skydda sig mot riskornen, rosenbladen och en och annan hård nötgodis som grannfruarna kastade från sina dörröppningar för att lyckönska paret. Luften var varm och en svag bris fick blombladen som kortegen drog efter sig att virvla över gatan.

När de kom fram till kyrkbacken ville Angelina stanna till ett ögonblick för att rätta till klänningen och de högklackade skorna som hade vållat henne smärta på grändernas vita stenplattor. Mamma slöt upp vid hennes sida för att fixa till hennes smink och torka av hennes kindben med en vit näsduk som hon hade varit förutseende nog att stoppa ner i sin svarta handväska. Angelina var vacker, vackrare än någonsin.

"Min dotter gifter sig", utbrast mamma och försökte hålla tillbaka tårarna.

Så hon drog näsduken även runt sina egna ögon med försiktiga, duttande rörelser, som när man tar bort bläckplumpar från ett pappersark. Angelina tog hennes händer i sina. Mor och dotter såg ingående på varandra under en tid som var kort men samtidigt lika lång som ett helt liv. Den ena uppfattade skönheten, kärleken och rädslan i den andras ögon. Livet som höll på att vissna och livet som spirade.

"Din glädje är min glädje. Det som jag lever för. Vår oförstörbara pakt", föreställde jag mig att mamma viskade till henne.

Vi gick in i kyrkan där den unge baronen, iklädd en mörkblå

dubbelknäppt kavaj, stod och väntade på Angelina framför altaret. Grannfruarna hade redan slagit sig ner i bänkraderna, alla utom blomsterhandlerskan som gick fram och tillbaka mellan långskeppet och entrén, nervös över att baronen inte skulle vara nöjd med hennes dekorationer.

Min systers unge brudgum var stilig, elegant, välskapt, med ett slätt och nästan feminint ansikte som förtrollade.

Angelina blev skakig för ett ögonblick och böjde sig framåt, men fortsatte sedan genast gå igen, arm i arm med baronen, mitt bland doften av apelsinblommor som blomsterhandlerskan hade prytt varje kyrkbänk med. Slöjans mjuka tyll som bara delvis skulle skyla hennes perfekta, ljuva ansikte. Då och då dök en stötande bild upp i mitt huvud. Far baron som stod och väntade på min mamma inne i den eleganta salongen som var utsmyckad med föremål från världens alla hörn. Banditerna som slet upp min mammas blus och blottade hennes mjuka bröst, de stora och mörka vårtgårdarna som lyste upp sovrummets dunkel som en eldsflamma.

Jag fnös och skakade på huvudet. "Det är dags att lägga det förflutna åt sidan", sa jag till mig själv, "och blicka framåt."

När baronen överlämnade Angelina till sin son krusades den unge brudgummens läppar i ett svagt leende, sedan slet han blicken från henne och koncentrerade sig på don Mario, som med öppna armar stod och väntade på att få inleda ceremonin. Han var välkänd för sin sävlighet och för den dramatiska ton med vilken han brukade krydda även de lyckligaste ögonblicken. Vid det tillfället, eftersom han inte visste var han skulle ta avstamp, gjorde han klokt i att referera till det faktum att brudgummens mor, arma flicka, hade dött många år tidigare och gjort honom moderlös. När han insåg att hänvisningen till den dramatiska omständigheten hade framkallat ett och annat jämmer från den främsta bänkraden som var reserverad åt familjemedlemmar, bestämde han sig för att gå djupare in på ämnet, att gräva ordentligt i det och därmed gå till botten med uppkomsten av det onda och av ensamheten, av prövningarna som vår Herre utsätter sina barn för. Och ju mer jämret ekade genom kyrkans valv, desto djupare trängde don Mario ner i smärtans och dödens tusen olika ansikten, till den grad att det till slut verkade som om han höll en minnesgudstjänst. Först i slutet, när han hade blivit mätt på anekdoter och predikan, förmådde don Mario ägna några knappa ord åt äktenskapets fröjd, citerade några verser ur *Höga visan* och avslutade det hela med orden "*Tack gode Gud*" som förenade de levandes värld med de dödas. Vid det laget började orkestern som stod ute på kyrkbacken, utmattad av föhnvinden som fick till och med luften ovanför marken att dallra, spela brudmarschen för att slutligen hälsa brudparet.

Jag blundade och räknade till tio medan Angelina gick genom långskeppet arm i arm med sin make. "Angelina existerar inte längre", sa jag till mig själv. "Nu är Angelina en annan. Nu finns bara friherrinnan Personè."

8

Jag vaknar med ett ryck. "Mamma", viskar jag i halvslummern, sträcker ut armen och rör vid henne. Jag vänder mig om och ser henne sova bredvid mig. Hon ser pytteliten ut. Mitt i rummet står bordet utfällt, så som det en gång i tiden brukade vara när vi fick gäster, klätt med den broderade duken, och så, under fönstret, på platsen där vävstolen – som mamma gjorde sig av med för länge sedan – en gång stod, står britsen där pappa sover. Det enda som skymtar fram underifrån täcket är de knotiga knäna. Jag hör hans ansträngda andetag. Han sover och jag är glad att han åtminstone i den här stunden befinner sig någon annanstans.

Jag väcktes av ett rytmiskt tickande. Det regnar. Jag håller inte på att kvävas. Det är bara regnet. Jag drömde om Giacomo. Han och jag som simmade i havet utanför San Giovanni. Vattnet var osannolikt varmt och stilla. Vi hade kommit långt ut från stranden men nådde fortfarande botten. Då och då hejdade han sig, ställde sig upp och smekte vattenytan med händerna. Jag, för min del, såg bort mot horisonten; i drömmen tänkte jag att det inte kunde vara så svårt att nå den och om vi bara fortsatte gå skulle vi komma till andra sidan havet. Så jag gick, medan mina fötter sjönk allt djupare ner i sanden, och ju längre ut jag kom, desto mjukare blev bottnen och den gav vika under mina bens tyngd. "Giacomo! Giacomo, håll i mig, jag sjunker!" skrek jag. Han sprang, simmade, vevade allt han kunde med armarna och kom allt närmare mig, samtidigt som jag kom allt längre bort. Ända tills vattnet täckte mitt ansikte. Men vid det laget var jag inte rädd, jag skrek inte längre, allt runtomkring mig var stilla. Angelina är under vatten. Angelina.

Jag sätter mig upp i sängen, och ljudet som har trängt in i drömmen och ackompanjerat min död är fortfarande där, som om en del av mardrömmen hade blivit verklig. Jag försöker hitta en bekväm ställning för att somna om, men till slut förblir jag liggande på rygg och stirrar upp i taket. Tickandet blir allt ihärdigare och nu har ett högljutt brus, som skvalet från en flod, lagt sig till bakgrundsrytmen. Jag reser mig och går bort till fönstret. Det ösregnar och vattnet väller ljudligt fram ur stupröret. Längs med gränden strömmar en flod av vatten mot piazzan, för kloakerna har svämmat över. Det händer ofta här när regnet vräker ner. I vattenkaoset flyter pappersskräp, grönsaksrester, plastpåsar, grändens hela förruttnelse som har ryckts upp av en renande ström som slutligen tvättar allt igen.

"Rena mig också", viskade jag. "Rena det här huset."

Vårt familjeliv hade tagit en ny bana som utmärktes av pappas tystnader, av utflykterna som mamma gjorde för att springa och spionera på Angelina så fort hon fick chansen, av orden från grannfruarna som var hungriga på att få veta hur det var att ha en dotter som var friherrinna.

Hur var det?

Under tiden spionerade jag på mamma, precis som jag brukade göra när jag var liten. Jag gjorde det när hon stod och rörde om i grytan, lyfte blicken och stirrade på väggen framför sig; jag gjorde det när hon gick hemifrån och jag såg henne försvinna runt hörnet med raska steg och blicken i marken.

Ett år hade gått sedan Angelinas bröllop. Vid det laget var hon inte längre densamma när hon kom och hälsade på oss, vilket hände två gånger i månaden. Ibland tyckte jag mig se ett knappt märkbart ljussken glimta till mitt i hennes askgrå uppsyn.

"Angeli', mår du bra?"

"Ja, mamma."

"Är du lycklig? Behandlar baronen dig väl?"

"Ja, det gör han. Hur mår pappa?"

"Han mår också bra."

Jag visste ingenting om livet hon levde, men jag visste att det var väldigt olikt det liv som den Angelina som vi kände hade levt, precis som jag var övertygad om att tiden förflöt i en annan rytm inne på det där stora vita godset, att dagarna tillhörde en parallell värld med helt egna regler som var absurda och oförenliga med min verklighet. Mamma hade avstått från att undersöka den där världen, och mellan oss och Angelina hade det rests en mur av osagda saker som, likt ett ingenmansland, skyddade båda sidor från sanningen.

Jag vaknade ofta i gryningen. Vissa gånger var det Angelina som dök upp i mina drömmar, andra gånger var det Giacomo. Båda två berövade mig sömn. Giacomo kom inte hem till oss längre. Jag såg honom bara då och då ute på gatan; hans bistra ögon tittade rakt på mig, sedan fortsatte han framåt utan ett knyst. Jag visste inte vad jag skulle ha sagt om jag hade hamnat framför honom, men jag kände att det fanns något ofullbordat mellan oss att reda ut och därför styrde jag en morgon, på min väg till Stenlotten, stegen mot hans hus.

Det var sommar igen och gryningsluften svalkade mitt ansikte. Jag brydde mig inte om att göra mig fin innan jag gick till honom. Det var saker som vid det laget inte intresserade mig längre. Jag bar en solblekt klänning och sandaler med nött klack och hade page, för under våren hade jag fått löss och tvingats klippa håret nästan ända ner till rötterna.

När jag kom fram stod Giacomo i kokvrån och hade just skurit halsen av en höna. Blodet rann från halsen ner i ett aluminiumkärl och luften var genompyrd av en metallisk, söt stank. Jag blev stående som förstenad och såg på honom utan att säga något, medan mitt hjärta ville slå sig ut ur bröstkorgen och utplånas. En hålig t-shirt blottade två skulpterade armar, med utputande ådror och välsvarvade muskler. En fläckig katt som kikade ut mellan hans ben distraherade mig.

"Vad gör du här?"

Jag fick intrycket att han var en man som befann sig långt borta från jorden, en som redan hade brutit kontakten med alla, även med sig själv. Han granskade mig utan att lägga ifrån sig hönan som han höll fast i benen, upptagen med att registrera varenda detalj: ljusa ögon, ovalt och olivfärgat ansikte, pagefrisyr, markerade kindben.

"Vad gör du här?" frågade han igen.

Jag tänkte på hur mycket Giacomo hade förändrats sedan han hade anlänt till våra trakter. Varken särskilt stilig eller listig, varken stark eller briljant; till en början hade han förmodligen bara velat vara en i mängden, men allteftersom hade en annan Giacomo tagit överhanden, en Giacomo som, till skillnad från den förste, så småningom upptäckte att han inte alls ville vara som alla andra, att de där andra snarare irriterade honom och gjorde honom vresig, butter, tyngde honom med en ständig förargelse som till slut hade förvrängt hans ansikte och förvandlat pojken som han hade varit till den bistre man som jag nu hade framför mig.

"Jag kom för att se hur du mår", fick jag ur mig, trots att hans tomma blick hade gjort mig som förstenad.

Han släppte hönan i baljan som var full av vatten och tvättade händerna. "Jag mår bra, du behöver inte oroa dig för mig, förstått?"

Han såg på mig och väntade på ett svar som jag inte förmådde ge honom, och sedan fortsatte han medan han vände sig åt andra hållet, som om han tänkte högt för sig själv: "När jag hörde det första gången ville jag inte tro på det. Angelina och baronen? Hur kan Nardo Sozzus dotter förälska sig i baronens son? De där typerna är vana vid att få allt de pekar på. För dem är människor som accessoarer. Vi är inte värda någonting alls i deras ögon. Han kommer att utnyttja henne och sedan kasta bort henne."

"Jag saknar henne, ska du veta."

Jag vet inte varför jag sa det. Kanske inbillade jag mig helt enkelt att där, i skogen, var jag den som led mest av min systers val, medan jag mellan hemmets väggar inte hade någon som helst rätt att ge uttryck åt min smärta, för mammas och pappas lidande förtjänade allt utrymme.

Giacomo tog några steg närmare mig och under något ögonblick stod vi alldeles tysta och såg på varandra. Han lyfte ena handen för att smeka en slinga av mitt hår, lukten av blod gjorde mig illamående och jag kände hur mina ben gav vika under mig, ett annat slags matthet än den som orsakas av trötthet.

"Du är så olik din syster."

Han var en ensam man, bister, burdus, argsint och dyster, likväl väckte hans ofullkomliga väsen en obegriplig lockelse i mig.

"Rädda dig själv, Tere', åtminstone du, för din syster är redan förlorad. Du kan inte stanna kvar på den här platsen. Ta dig härifrån."

Jag hade svårt att förstå hur han hade kunnat se det som ingen annan lyckades se i mig, och undrade om Giacomo Pisanu hade kunnat ana sig till även annat, genom att tyda de fysiska tecken som min platoniska kärlek hade lämnat efter sig i mitt ansikte och på min kropp.

Angelinas kropp tillhörde numera det stora godsets kritvita väggar, de antika möblerna, den välvårdade trädgården och den näckrosprydda ankdammen som jag hade sett som barn.

"Hur mår Angelina?" frågade Giacomo. Jag backade några steg, nästan som om för mycket närhet kunde hota hans privata sfär. "Mår hon bra?"

Jag nickade.

"Är hon lycklig?"

Var hon lycklig? Jag hade själv undrat det så många gånger, men aldrig haft modet att ställa henne frågan. "Jag vet inte. Jag tror det."

Giacomo kände på tyngden av den där informationen och vände sig åt andra hållet. Jag sträckte fram ena handen, driven av en vemodig kraft, vidrörde honom med tanken, drog upp konturerna av hans axlar, höfterna och den breda midjan. Med slutna ögon föreställde jag mig själv bredvid honom, en solig dag med klar himmel och några molntussar här och där, som dun som svävade i luften. Jag hade på mig en tunn, klarblå klänning som matchade mina ögon, och han var klädd i en vit skjorta, kritvit, som den han hade haft på sig när han bad om min systers hand. Varje syn, varje bild trängde in i mitt bröst, som splittret från en bomb efter explosionen. En gång sa en vän till mig att de finaste stunderna i vårt liv är de som tar slut i förtid. Kanske är det därför jag aldrig har glömt det där tysta avskedet. I grund och botten liknade Giacomo och jag varandra. Båda två hatade överflödiga ord. Jag har aldrig förstått om det som jag kände för honom var sann kärlek; en obegriplig känsla, visst, men jag tröstas av tanken att det finns mycket annat i vårt liv som är obegripligt, våra rädslor, mardrömmar, fobier, smärtan och njutningen, känslor som är i stånd att födas och dö utan någon riktig anledning, likväl är de märkvärdigt autentiska.

Det var sista gången som jag pratade med Giacomo. Senare skulle jag förlika mig med tanken att även han och jag, precis som familjen Sozzu och familjen Personè, tillhörde två oförenliga världar, avlägsna från varandra inte på grund av vårt blod eller vår börd, utan på grund av vår självaste ande.

Jag såg honom aldrig igen. Två veckor senare reste han till Turin. Pappa berättade att han hade hittat ett jobb som fabriksarbetare. Han sa det medan han strök med handen över sina torra ögon. Giacomo kom inte ens och sa farväl till mig, och han sa inte ett ord till mamma. Han lämnade oss på samma sätt som han hade kommit, ensam, allergisk mot varje sorts förbindelse, blodlös, omedgörlig och ohyfsad precis som barnmorskans mördade make.

Av honom minns jag än idag doften av tobak, av gamla äpplen, som säckarna som vi använde för olivskörden, den där syrliga undertonen, stark och säregen, av solvarm hud.

9

Det är en vindstilla dag och piazzan badar i sol. Gamlingarna sitter längs med den lilla muren runt klocktornet. De samtalar högt och orden flyter ihop till en förvirrad kör. De yngre av dem ser på mig och viskar sedan något till den som sitter bredvid. En gammal kvinna kommer fram till mig: "Och vems dotter är du? Kommer du inte härifrån? Du påminner mig om någon."

Jag minns inte hennes ansikte, det ser likadant ut som på många av de gamla kvinnorna i trakten, ett ansikte lika enkelt som trädteckningen i lågstadieelevernas lärobok. Hon går sin väg utan att invänta mitt svar. Copertino förefaller avfolkat, runtomkring mig ser jag mest rynkiga ansikten och bara några enstaka barn som jagar varandra i gränderna. Jag bestämmer mig för att göra ett besök i don Beppes handelsbod, bara för att upptäcka att även den har förändrats. Skylten har ersatts av bjärta, blinkande bokstäver som bildar ordet SPECERIHANDEL. Jag går närmare och dofterna slår emot mig med samma kraft som när jag var liten. Don Beppe är inte längre i livet, och bakom disken, som är full av glasflaskor i alla tänkbara storlekar, ser jag en spenslig kvinna med ett knotigt bröst som skymtar fram ur den uppknäppta rocken.

"Jag känner igen dig, du ser bekant ut", säger hon genast och avbryter småpratet med de andra kunderna.

"Jag är Teresa. Teresa Sozzu."

Don Beppes dotter synar mig från topp till tå, som om hon är

i färd med att inspektera varor på marknaden. "Ja visst ja, friher-
rinnans syster." Sedan vänder hon sig mot de yngre kvinnorna: "Ni
var bara barn på den tiden så ni kan inte minnas det, men den här
kvinnans syster gifte sig med Giuseppe Personè."

De sneglar på mig allihop. Kanske vill de på nära håll se vil-
ka särskilda tecken som utmärker systern till en friherrinna. Det
känns som om jag har svårt att få luft och jag går ut för att hämta
andan, medan jag fortsätter känna don Beppes dotters granskande
ögon på mig.

Jag räknar tyst för mig själv för att lugna min andning.

Ett, två, tre ...

Ingen kan göra mig illa här.

Ett, två, tre ...

Det förflutna är ett avslutat kapitel, även om jag har känslan av
att ett slags urgammal förbannelse – kraftfullare än den som här-
jar vid Torre del Cardo – dröjer sig kvar runtomkring mig och får
grannfruarnas tjatter, rösterna från de fördömda banditerna, häx-
ornas domar att bli till en del av den här platsens förgångna, dess
nutid och dess framtid, och likt en varelse av kött och blod förföljer
en var än i världen man slår sig ner.

Jag promenerar vidare. Jag vill gå till kyrkogården och besöka
min syster och farmor Assunta. Jag vill göra det ensam, gå längs
den långa raden av cypresser med en klump i halsen, för det är fem
år sedan jag sist såg Angelinas grav.

Till en början känner jag mig bortkommen bland väggarna av
nya gravnischer, tiotals obekanta ansikten som ler mot mig från
sina foton; det finns en nybyggd del av kyrkogården som inte fanns
för fem år sedan. Jag går igenom en labyrint av gravar och sedan
känner jag igen den som är min systers, under en sekelgammal
cypress, bredvid platsen där farmor Assunta, som gjorde henne

sällskap några år senare, vilar. Jag granskar deras foton och söker efter likheter mellan farmor och sondotter, något som kanske undgick mig medan de var i livet, men jag hittar inga. På min systers gravsten växer en klängros som mamma ville plantera där. Den här tiden på året är den full av rosa blomknoppar.

"Hur mår du, Angeli'?"

Jag tycker mig höra hennes röst som ropar på mig från gränden, det där uppnosiga tonfallet som hon brukade ha när hon tilltalade mig. Bakom mig står en kvinna och gråter, och två flickor ler framför den intilliggande raden av gravstenar. Jag för min del känner mig försänkt i ett underligt lugn, och den urgamla kontrast som band mig till henne, kärleken blandad med den dunkla känslan av att jag inte kunde förstå mig på henne, tycks ha upplösts som genom ett trollslag. Det som hon gjorde hade tusen skäl och inget som helst. Jag viskar bara några få ord till henne: "För att du var du, Angelina, för att jag var jag."

När jag kommer hem igen finner jag mamma bredvid sängen där pappa sitter uppallad mot tre kuddar. Han håller ett pappersark och en penna i handen.

"Din pappa säger att han vill upprätta ett testamente. Han blev rådd att göra det av en vän som kom och hälsade på. Han sa: 'Skriv hur du vill ha det, sedan lägger du till datum och plats och signatur.' Ett hol… hol… grafitestamente."

"Holografiskt, mamma. Men vad behövs det för? Det är ju ändå bara du och jag."

"Jag vet, Tere', men han vill göra det i alla fall."

Jag hämtar en till stol och sätter mig bredvid honom. Jag ser honom fatta pennan som en duktig skolpojke och tänker tillbaka på hur förlägen han brukade bli inför ett skrivet pappersark. Han börjar långsamt skriva och hans handstil är en darrig bergochdalbana som till en början framstår som en simpel kludd men sedan, sakta men säkert, tar form.

Huset överlåter jag på min hustru Caterina, som har funnits vid min sida hela livet. Efter hennes död går det till min dotter Teresa och till hennes avkomma.

Hans ansikte är koncentrerat och han måste pausa då och då, för handens rörelse tröttar ut honom.

"Nardi', låt det vara, du överanstränger dig."

Men han fortsätter räkna upp varenda sak, det som återstår av ett helt liv.

De fruktbärande träden ska fördelas mellan min hustru och min dotter. De gamla breven från kriget, fotografierna av mina föräldrar och frimärkena med det savojiska emblemet ska gå till min dotterdotter Giulia, med önskan att hon för alltid ska hålla oss levande i sitt minne. Jordlotten överlåter jag på Giacomo, eftersom han har varit som en son för mig, om än bara under en kort tid av mitt liv.

Giacomo. Trots att så många år har gått hoppar jag till bara av att höra hans namn. Jag vet inte om man kan känna nostalgi över en kärlek som aldrig har existerat, och inte heller om det har någon mening att vid det här laget blanda in honom i vår familjs öde.

Pappa ser på mig medan han skriver. Kanske söker han efter mitt samtycke. Jag betraktar honom och kan inte låta bli att känna en gränslös ömhet, nyckelbenen och axlarna som har blivit spetsiga, köttet som har dragit sig tillbaka över kindbenen och käken, och finkostymen som inte förmår dölja hur mager han är. Jag kan inte tro att han är på väg att lämna oss, att livet är på väg ut ur hans mun medan han utmattad uttrycker sin sista vilja. Man vänjer sig inte vid tanken på att förlora en människa, man kan inte förbereda sig på slaget, som när man blundar och väntar på att sprutkanylen ska tränga in i ens kött. Man kan bara låta smärtan gripa tag i en och hoppas på att dess genomfart inte ska trasa sönder något. Så det är okej, pappa. Om du vill att Giacomo ska ha jordlotten som har kostat dig tårar och strider, så blir det så.

"Och så en sista sak, Cateri', hjälp mig. Stötta min arm för jag orkar inte längre."

"Tere', håll papperet åt honom."

Mammas röst är fylld av skräck. Jag vet att hon är rädd att stunden är kommen och hon har inte lättat sitt samvete än.

Jag kommer att dö fördömd, jag kommer att dö fördömd.

Nej, mamma, du behöver inte dö fördömd.

Åt min dotter Angelina lämnar jag min förlåtelse och jag ber om hennes, med stor tillgivenhet. Jag hoppas att du, Angeli', kommer och söker upp mig i den andra världen och att vi berättar saker för varandra som vi i livet aldrig sa.

En tår. En endaste tår rinner över pappas kind ner till de tunna, slappa läpparna. Han drar en djup suck. Jag tror att han är belåten över att ha nått slutet. Sedan griper han tag om min hand och överlämnar papperet åt mig.

"Tack, pappa, även å min makes och min dotters vägnar."

Då ler han mot mig och blundar. "Vi är inte färdiga, Tere', fortsätt, berätta allt. Jag måste få höra allt, annars följer det onda förflutna med mig ner i graven. Befria mig, min dotter, befria mig från det onda köttet."

10

Det var Sankt Josefs högtid. Orkestern stod uppställd på piazzan och spelade. Gamlingarna närmast scenen klappade händerna i takt till musiken, medan de yngre paren gav sig i kast med några danssteg. Barnen var de som släppte loss mest: de sicksackade outtröttligt mellan benen på dem som dansade, och hoppade runt som euforiska syrsor. Luften stod stilla och min blommiga klänning klibbade på huden och mellan mina lår. Den påminde lite om den som vi hade fått farmor Assunta att bära dagen till ära, samma klänning som hon hade haft på sig när Angelina tog nattvarden för första gången.

Mamma och jag hade varit tvungna att ledsaga farmor dit. Hon höll händerna knäppta framför sig och när grannfruarna hälsade på henne nickade hon hit och dit, som en papegoja, och log. Hon hittade på ett namn åt var och en av dem, förväxlade dem eller plockade fram grannfruar från förr: "Det här är grannfru Rosetta, som blir slagen av sin man. Det här är grannfru Nannina, som för sin del bedrog sin man under kriget."

"Vad säger du, Anna? Kom närmare, jag hör dig inte. Måste du åka tillbaka hem? Stanna kvar här en stund till, stanna hos mig, för de här människorna lämnar mig alltid ensam."

Vi hade lotsat henne runt kvarteret ända bort till piazzan, sedan hade mamma följt henne hem igen. "Gå du, Tere'", sa hon, "ni ungdomar måste få roa er."

Medan jag fortsatte bort på gatan vände jag mig om ett par gånger och betraktade dem, mamma som såg till att vinkla rullstolen så att solljuset fortsatte kyssa farmors hud.

Jag hade bestämt mig för att stanna till vid San Giuseppe-kyrkan. En ring av korpar fyllde kyrkbacken och vid sidan om ingången stod två rundhyllta, svartklädda kvinnor och sålde vaxljus med en bild av skyddshelgonet på och tarvliga böcker om helgonens liv. Jag lät mig dras med av folksamlingen när den vällde in i kyrkan. Ett skarpt ljus strilade in genom fönstren och lade en himmelsblå patina över kyrkans skepp. Mina ögon var fortfarande så bländade av solljuset att jag till en början inte kunde urskilja annat än suddiga bilder och en stor skuggfläck. Först någon minut senare, efter att jag hade gnuggat mig länge och väl i ögonen, tycktes saker och ting återfå sina konturer: skeppen, altaret, krucifixet, gravkoren, biktstolarna. Då sänkte jag blicken, betryckt av alla munnar som andades runtomkring mig och de varma kropparna som svettades tätt intill min. Jag blev yr i huvudet och flydde därifrån medan jag bad Sankt Josef om ursäkt. "Helige Josef, benåda min syster, och låt henne bli lycklig."

Sedan begav jag mig med raska steg mot piazzan. På vägen dit hälsade jag på don Beppe som stod utanför sin bod och muttrade några ord i skägget som han hade anlagt.

"Ge mina vördnadsfulla hälsningar till friherrinnan", sa han och svalde snabbt orden som kom ur hans mun, och kumpanerna som stod runtomkring honom brast i skratt.

Jag kunde höra deras pustar och garv bakom ryggen, och rös till.

Det var under tiden som orkestern spelade som jag fick syn på henne: Angelina arm i arm med baronen, tjusiga båda två, av en skönhet som man aldrig hade sett maken till i våra trakter. Jag hade anat på viskningarna som spred sig genom folksamlingen att hon var i antågande. Hennes ögon var matta och munnen spänd. Jag borde ha förstått, Angeli'. Jag borde ha vetat. I stället gick jag bara fram till henne och kysste henne på kinden. Hennes make gav mig ett krystat leende utan att släppa hennes hand, som hon höll stödd mot hans arm. Till en början var det en tyst scen som utspelade sig.

"Vad är det, Angeli'? Har du inte mål i mun intill din man?" viskade jag tyst för mig själv.

"Hur mår du?" frågade jag för att bryta tystnaden.

"Bra, och du?"

Jag nickade och vände genast blicken mot hennes sidenklänning som hade samma färg som mogna persikor, två små blommor instuckna i håret, en grå sjal om halsen.

"Nu är det du som är en primadonna på vita duken, Angeli'. Filmstjärnorna kommer inte ens i närheten av dig."

Pappa anlände i sällskap av sina kamrater från fackföreningen. De hade druckit, pappa kanske mest av dem alla. Han kom fram till oss med sitt pomaderade, bakåtkammade hår. Det hade börjat glesna i tinningarna och lämnade plats åt en hög panna. Hans kostym var skrynklig och de alltför vida byxorna fladdrade kring hans magra ben.

"God kväll, herr baron", hälsade han med ett flin och vände sig sedan mot sina kumpaner för att få med sig dem i leken.

"Pappa, du har druckit", sa Angelina och lät blicken svepa över piazzan, i hopp om att kunna hålla de andras nyfikna blickar på avstånd med ren tankekraft.

"Jag knäböjer för den nye baron Personè, som har studerat i norr och som äger all jord i Copertino, och även för friherrinnan Personè, som en gång hette Sozzu men som ingen längre känner."

Han hade ett halvfullt glas vin i handen och höjde det i luften medan han gick ner på knä.

"Signor Sozzu, det här är en fest, och ni gör er till åtlöje."

Alla tystnade och pappa vände blicken mot Angelina. Det berusade leendet dog bort för ett ögonblick och hans ögon blev blanka.

"Angeli' …", började han, men i samma stund råkade en liten pojke, en av småungarna som roade sig med att sicksacka mellan benen på folk, springa in i honom, och han spillde ut vinet över baronens kostym. Giuseppe Personè släppte Angelinas hand och slog ut med armarna.

Lakejerna, som stod hopkurade som korpar runtomkring piazzan, kom med ens springande. Pappa blev stående med det tomma glaset i handen och såg på den mörkröda vätskan som hade fläckat ner baronens vita kostym.

"Herr baron!" utbrast hans tjänare.

Baronen slog ut med armarna igen.

"Det är ingen fara, ni kan gå tillbaka till era platser. Det var en olyckshändelse."

Angelina grep tag i min hand och medan pappa och hennes man var distraherade passade hon på att ta mig bort från skratten, från det monotona mumlandet bakom händer som skylde munnarna, från orkestern som inte hade slutat spela.

Hon tog av sig de högklackade skorna och tillsammans sprang vi genom gränderna som hade tömts på kvinnor och män och enbart befolkades av gamlingarna som satt utanför sina ytterdörrar och väntade på att någon skulle gå förbi och ge dem nyheter om festen: "Och hur är musiken? Statyn av helgonet? Hur ser den pyntade piazzan ut?"

Nu vände de sig om allihop för att se på systrarna Sozzu som sprang hand i hand. Angelina släppte ut håret som nådde henne ända ner till skinkorna.

"Vart ska vi, Angeli'?"

Jag frågade det utan att egentligen vilja veta, och under tiden såg jag på henne, ögonen, håret, hakans linje, den smäckra figuren insvept i sidenet som frasade mot hennes hud.

Vi lämnade husen och gränderna bakom oss och sprang ända tills allt som hördes runtomkring oss var syrsornas fridfulla surrande. Hon tog mig med till Torre del Cardo. Vi kom fram utmattade och andfådda och sträckte ut oss på marken för att blicka upp mot himlen som solnedgången färgade orange och rosa.

"Jag saknar dig, Angeli."

"Jag saknar dig också."

"Hur är livet som friherrinna? Du pratar aldrig om det. Varför berättar du inget för mig?"

Hon väntade ett ögonblick innan hon svarade, och sa sedan: "Det är inte som jag föreställde mig."

"Hur då, Angeli', är du inte lycklig?"

Hon sökte min hand där i det fuktiga gräset och kramade den hårt.

"Teré, minns du vår trasdocka? Vad var det den hette, nu igen?"

"Ninetta", sa jag, såg på henne och fick känslan av att hennes ansikte började upplösas som en alltför blöt akvarellmålning.

"Har du någonsin känt dig som Ninetta? Som en trasdocka?"

"Ja, Angeli."

"Ninetta", viskade hon. "Jag minns att jag ibland kramade henne så hårt att jag trodde att hon skulle smulas sönder i min famn. Jag ruskade henne åt höger och vänster så att huvudet nästan slets av."

"Och du, Angeli', känner du dig också som Ninetta?"

Hon stirrade på mig ett ögonblick. "Ja, Tere'. Jag är som hon.

Ninetta, Ninetta", började hon säga dämpat, sedan allt högre, den enda mänskliga rösten i all den där tystnaden. Fyra, fem, sex gånger, och medan hon upprepade det rann sorgsenheten ur hennes kropp och upplöstes i Cardos jord, mitt bland banditernas andar som vakade över oss uppifrån tornet.

"Angeli"', mumlade jag, "Angeli."

Sedan kom regnet.

"Nu måste jag gå. Jag måste gå tillbaka till min man. Han blir arg om jag är ute och ränner på egen hand."

Jag stirrade på henne och kom att tänka på farmor Assuntas syster som jag aldrig hade träffat. Jag föreställde mig henne likadan som Angelina, ögon med samma svarta botten som döda ting, ögon som speglade en frånvaro. Munnen som inledde samtal som aldrig kom till kärnan, antydningar om ondskefulla, hemliga saker som bara hon kände till och som sedan försvann i tystnaden.

Jag lät dig fly, Angeli'. Jag blev stående som förstenad medan regndropparna trängde genom klänningen och rann längs min hals, mellan mina bröst, ända förbi naveln.

En kväll började farmor Assunta irra omkring som en osalig ande i huset samtidigt som hon rafsade ihop de mest betydelsefulla sakerna som hon hade samlat på sig under sitt liv. En pappersklämma i silver som hon hade fått i bröllopsgåva av en av sina kusiner, ett hårspänne i pärlemor som hade tillhört hennes mor, ett litet armbandsur i guld, gamla gulnade fotografier, kaffeserviser, en tekanna och silverskedar. Sedan hasade hon sig bort till kistan framför sängen där hon förvarade täcken och sängkläder, drog bort linneskynket som täckte dem och plockade upp en svart klänning med små vita blommor på. "Den har legat här i många år", mumlade hon, tog på sig den och sa att hennes Armando hade kommit och kallat på henne och att hon måste göra honom sällskap på kyrkogården.

"Graven är inte mycket för världen", mumlade hon, "men den vita stenen är blank och runtomkring finns en liten blomstrande rabatt."

Hon lyfte handen, nästan som om hon kunde röra vid gravstenen i marmor och till och med snudda vid farfars ansikte som log mot henne från fotot. "Kom, min kära Assunta, kom till mig. Lång tid har gått och jag känner mig ensam."

Mamma blev rädd att de döda verkligen kunde tala och att farmor Assunta hade känt på sig att hennes tid var kommen, så hon skickade ut mig på fälten på egen hand, till Stenlotten, medan hon och pappa stannade kvar hemma för att försöka lugna ner farmor och få henne att sova. "Om något händer henne skickar jag efter dig", sa hon innan jag gav mig av.

I stället var det Angelina som kom. Hon dök upp i gryningen iklädd en tjocktröja som var alldeles för stor, med osminkat ansikte och håret klistrat mot ansiktet. Det var kallt.

"Var är mamma?" frågade hon, gripen av en ängslan som fick henne att darra.

"Hon är hos farmor Assunta, tillsammans med pappa. Farmor yrade i natt och de ville inte lämna henne ensam med Nenenna och Lollina. Hur är det, Angeli'? Är allt som det ska?"

"Ja, Tere', jag mår fint."

Hennes ansikte skrämde mig, blekt men rödbrusigt, vaket men frånvarande; jag tyckte att hon såg ut som en av de där andarna som då och då tog sig ut ur tuffstenens sprickor och gav sig in i samtal med farmor Assunta.

Jag såg henne rakt i ögonen som var tomma och döda som dockögon, försökte snoka rätt på sanningen i ögonvrårna genom att flytta undan dammtussar som låg som ett värn över dem.

"Tere', jag vill ge dig en sak." Hon drog fram en dagbok som hon hade haft under tjocktröjan. "Läs den, Tere', lova mig att du läser allt."

"Jag ska läsa den, men varför? Vad betyder det?"

"Jag ska berätta det för dig sedan, men nu måste jag gå, det finns inte mer tid, Tere', jag måste verkligen sticka."

Jag såg förbryllat på henne medan hon vände ryggen åt mig och gick sin väg. Jag ropade hennes namn för att få henne att stanna, men lät henne komma undan. Hennes steg ekade längs kullerstensvägen som var täckt av fallna löv och ollon. Jag kände tomheten runtomkring mig och inombords, trädens och stenarnas hjärtklappning. Jag stod orörlig och såg på henne medan hon sprang mot vägen och hennes hår böljade över höfterna.

En enda gång vände hon sig om: "Jag älskar dig, Tere'. Jag älskar dig så mycket."

11

Varför sa du ingenting tidigare? Varför pratade du aldrig med mig om ensamheten, Angeli'? Varför berättade du inte för mig om baronens kyla, om hårdheten i hans hand när han slog dig på kinden? Var det därför du så sällan visade dig? Ditt slott blev till ett fängelse. Du stannade till vid fönstret och lyssnade till ljuden, till rösterna som hördes utifrån. Ropen från mannen med kärran, en katts jamande, barnens stojande som hördes långt bortifrån. Ljuden nådde dig dämpade, som vaggvisor man sjunger för barn, dröjde sig darrande kvar och upplöstes sedan som såpbubblor.

Till en början var du glad, Angeli'; orden var en skälvning, de ilade över dagbokssidorna, drivna av en ohejdbar kraft. Du skrev om var och en av kvinnorna som du hyste agg mot, om grannfru Nunzia som dök upp i dörröppningen med förklädet fullt av bondbönor som hon höll på att sprita, om barnmorskan som sjasade bort möss med sopkvasten medan hon anklagade dem för att gnaga sönder hennes ylleöverkast, om Trollpackan som stod på lur i gathörnen och plötsligt dök upp för att fälla sin dom, som djävulen i klagosången. Du hade brutit förbindelsen med det där livet, omgiven av det vita godsets tjocka vita väggar som skyddade dig från skammen och förtalet.

Till en början var det en konsert av viskningar, passionerade kyssar, kärleksnätter.

Jag är det här husets drottning och vem kan göra mig illa?

Om man föds vacker spelar det ingen roll om man föds fattig, och
Giuseppe säger alltid till mig att jag är den vackraste kvinnan i hela
Copertino. Han ser längtansfullt på mig, sedan smeker han hela min
kropp och tycks röra vid sammet. Jag drömde om honom under så
många nätter och nu sover han bredvid mig. Min make är annor-
lunda beskaffad till och med när han drar drömmens andetag. I hans
ansikte finns behag, i hans ögon som är stora och blida, i hans ögon-
fransar som är så långa att de ser feminina ut. Jag vet att min plats är
här och att det var hit som jag var menad att ta mig. Friherrinna. Jag
är en friherrinna. Jag föds nu, i det här ögonblicket.

Du tyckte om tystnaden under dagarna som du tillbringade
ensam, det var timmar som förflöt lugnt och stilla, som i ett univer-
sum med en annan rytm.

Emellanåt dök pappas namn upp i berättelsen och din handstil
krackelerade, bläcket flöt ut, men det var en svaghet som genast
gick över, besegrad av kärleksord som var utan mening men gräns-
löst ömma, ord som bara väntade på att tydas, som "huset som
badar i gryningsljuset", "rosornas drottning", "kärlekssaga". Jag fö-
reställde mig dig sittande böjd över dina hemliga dagbokssidor, en
djärv romanförfattare som med penna och bläckhorn återupplevde
historierna som andra kvinnor hade berättat, och på så vis fyllde
du dina tonår med romantiska fantasier och exotiska äventyr. Dina
ord, Angeli', var drömmar. Du och kvinnan i dagboken älskade var-
andra, såg på varandra som på sin egen spegelbild. Du hade skapat
dig en hemlig värld som ingen kunde tränga in i, och om baronen
till en början var riddaren som hade räddat dig så ändrade han ka-
raktär efter hand som du vände blad, som demonerna när de antar
skepnaden av katter eller ugglor.

Jag undrar om människor kan ha två väsen, ett änglaansikte och
en demon som plötsligt förvanskar det. Min man är offer för sina

egna demoner, argsint och tvär. Det var precis vad människor på or-
ten brukade säga om hans far. De sa också att äpplet inte faller långt
från trädet. Ni sa det allihop. Livet är föränderligt, instabilt, ovisst.
Mitt sovrum är numera en främmande plats. Där jag så många nät-
ter har legat och betraktat ditt ansikte, känner jag nu bara kyla och
rysningar av ängslan. Så avlägsna mina lyckliga dagar känns ... Du,
min make, säger inte längre till mig att jag är den vackraste kvinnan
i hela Copertino. Inte ens när jag låter håret falla ner över axlarna, så
som du tycker om det, och sätter på mig morgonrocken i rosa siden
som du gav mig. Ibland står jag i fönstret och väntar på dig. Jag står
där i flera timmar och undrar vilket humör du kommer att vara på
när du kommer tillbaka. Ett fuktigt ljus blänker till i mina ögon. Jag
har tagit avstånd från mitt hem, min härkomst, jag har förvärvat
min pappas hat, och när jag tänker på min familj, på min älskade
Teresa, känner jag hur en obeskrivlig smärta ringlar sig runt min
kropp som en orm, snör åt om min hals så att jag inte får luft.

Jag slog igen dagboken med darriga händer. Jag klarade inte
att läsa mer. Jag kände en tyngd över bröstet, en stram krage som
hindrade mina andetag. En salt bris med stickande lukt gjorde mig
illamående.

Jag kan se dig, Angeli', inne i det där huset. Medan jag läser
känner jag din ensamhet. Ditt stora, flotta hus som plötsligt har bli-
vit ogästvänligt, och du som står i en halvdunkel vrå, skuggan som
reser sig och kväver dig. Och nu ser jag även baronen ...

Han har kommit hem, du hörde det på ljudet från hans get-
skinnsmockasiner mot golvet. En exakt och regelbunden följd av
fotsteg, som i en scen i en teaterpjäs. Baronen häller upp whiskey
som han alltid har stående på ett litet mahognybord i hallen och tar
av sig manschettknapparna i guld. Du kan höra de små juvelerna
klirra mot det blanka träet. Sedan kavlar han upp skjortärmarna

och går uppför den breda trappan. Du hör det lätta ljudet av sulorna mot trappstegen, det dyrbara skinnet i mockasinerna som hasar mot marmorn.

Du vet att du snart kommer att få se honom och på nytt känna den där blommiga doften av billig parfym, av glädjeflicka. Blodet kokar i dina ådror, till den grad att det blir suddigt för din blick och dina ben börjar darra, varje muskel i din kropp spänns och hjärtat reduceras till en knuten näve i bröstet.

Du hör honom gå genom korridoren innan han kommer in i sovrummet. Du sitter som förstenad framför spegeln. Med tårarna som gör dina vackra, sminkade ögon vattniga.

"Är du fortfarande vaken?" frågar han bara, med en röst som är lugn och stadig och inte röjer några som helst skuldkänslor.

Du nickar och vänder ryggen mot honom. Du vågar inte se på honom. Inte än.

"Var har du varit?" Och din röst darrar precis som resten av kroppen.

En kort paus. Under några ögonblick hörs bara andetag.

"Ute", nöjer han sig med att svara, trygg i vetskapen att han har rätten på sin sida, härskare som han är, utan något som tynger hans samvete.

Nu vet du att grannfruarna hade rätt hela tiden. Nu är du det som de sa att du var. Baronens slinka.

Under tiden fortsätter han in i rummet, tar av sig skorna, först den vänstra och sedan den högra, och ställer dem framför sovrumsdörren. Han sätter sig ner på det blommönstrade täcket och knäpper upp skjortan. Du hör den frasa mot huden medan han långsamt tar av sig den, innan han blottar sitt nakna bröst. Du gör en ansats att resa dig, men han håller dig kvar. Du känner ett underligt hat växa inom dig, ett hat som gör dig förvirrad för någon-

283

stans inom dig finns kärleken fortfarande kvar, annars skulle du inte ha släppt ut håret, du skulle inte ha satt på dig morgonrocken i rosa siden. Både hatet och kärleken har tusen skäl. När han griper tag i dig och klär av dig är du redan försvarslös, du kan inte göra annat än närma dig hans nakna kropp och andas in doften av en annan kvinna.

Och så en natt gjorde du det, Angeli'. Du klädde dig snabbt, drog på dig plaggen som låg närmast till hands när du öppnade den stora garderoben. En svart kjol och en tjocktröja. En ljusgrå jacka och ett par högklackade skor. Du satte upp håret som fortfarande var blött. Du hade inte tid att torka det. Du var tvungen att ta dig ut fort, innan något fick dig på andra tankar. Efter att du hade klätt på dig lämnade du byrålådorna utdragna. Även skåpdörrarna stod på vid gavel. Morgonrocken på golvet, tillsammans med handduken som du hade kramat ur håret med. Det var kallt ute, och fastän du är stark och frisk skulle den där bitande vinden kunna göra dig sjuk, genomblöt i håret som du är.

"Jag har alltid varit den starka av oss, Teresa den svaga", säger du till dig själv.

Du beger dig ut på kullerstensvägen, osminkad och med dyngsurt hår. Du ser ut som en liten flicka.

Jag ser baronen och hans favoritslinka i alkoverna på övervåningen. Små rum med svag belysning och alltför bjärta färger. De tunga sammetsgardinerna. Varje rum i olika färger. I det rum som din man befinner sig i dominerar det ljusblå: gardinerna är ljusblå, de små broderade tabletterna under lamporna på nattduksborden, duken, det pyttelilla bordet som står intill den högra väggen, den mittemot sängen. Även sängöverkastet är ljusblått, noggrant hopvikt så som bara en duglig husfru kan göra. Baronen väljer alltid det rummet när det är ledigt, på grund av hans förkärlek för blått. Hon ligger utsträckt på sängen och väntar på honom. Hon är ung. Hon heter Maria och det här är den andra natten som hon prostituerar sig på Ghitas bordell.

Baronen har fullbordat sin ritual, manschettknappar, skor, kavaj och skjorta. Han betraktar kvinnan som ligger utsträckt på sidan. Magens och skinkornas perfekta rundning, den mjölkvita huden. Han griper tag i hennes hår och böjer hennes rygg bakåt, de svarta lockarna slickar lakanet. Och så ett plötsligt ryck. Nu ligger Maria med ryggen mot honom och han drar hennes trosor åt sidan och tränger in i henne med våld.

När du kommer fram till Ghitas bordell – ägarinnan är en storvuxen och ograciös kvinna med koppärrigt ansikte – rusar hon iväg och kallar på honom. Han är andfådd och vet inte vad han ska säga för att få dig att gå tillbaka hem. Stackars flicka. Den bedragna hustrun som går för att hämta hem sin man. Baronen ser på dig och får nästan anstränga sig för att känna igen dig, förkrympt som du är i den alldeles för stora jackan. De uppsatta lockarna som fortfarande är blöta. Det osminkade ansiktet. Hur kunde han komma på tanken att gifta sig med henne? En bonddotter förblir för evigt en simpel bondlurk. Maria har dykt upp bakom din mans rygg. Hon är en slående skönhet, sensuell och morisk. Du kan nästan se dig själv i henne. Högrest och vacker. Ett fantastiskt svart hårsvall och mjölkvit hy. Grå ögon, genomträngande och trängtande, som påminner dig om mammas ögon.

"Gå hem, Angeli", vi får prata om det här senare. Gå nu, du gör mig till åtlöje", säger han med hopsnörpt ansikte. Hans röst är stadig, torr och entonig.

Och då kom allt tillbaka till dig. Minnen består av en förgänglig materia och du har med tiden fyllt den med fantasier. Men nu stod allt klart, som om du hade tagit av dig en slöja som fördunklade din syn. Du mindes farmor Assuntas och pappas ord: "Mördare", "fähund", "kräk."

Och när allting äntligen var klart och tydligt i dina tankar, kom du till mig och räckte över ditt liv i mina händer. Kläderna som klistrade sig mot din hud, håret som fortfarande var fuktigt. Du såg ut som en liten flicka, ditt ansikte var blekt och fördärvat. Jag kunde inte beskydda dig, Angeli', jag kunde inte rädda dig.

Jag ser dig försvinna bort från Stenlotten.

Du kommer bort till ett fält med fruktträd och slår dig ner under ett stort, kalt äppelträd. Din enda önskan just nu är att sitta hopkrupen under det där trädet med vinteräpplen och känna gryningen smeka ditt ansikte.

Den fullkomliga stillheten i jordens ljuva sorg, bara det svaga fågelkvittret, nästan som för att be om ursäkt för att livet finns annorstädes. Som en framviskad bön, en inbjudan. Med bestämda steg beger du dig sedan mot det stora vita godset och kliver in genom de sirade grindarna, prydda av drakmunnar som vakar ovanifrån och av bevingade änglar som reser sig på ytterkanterna, kanske för att symbolisera godhetens seger över ondskan.

Du förmår inte gråta. Nej. Inga tårar. Ditt hår har torkat nu och faller på nytt ner över ryggen. Vad gör du, Angeli'? Åh, nu ser jag … Du ber. En av de där bönerna som vi fick lära oss när vi var barn och som vi rabblade på väg hem från mässan. Men din bön är tyst, den behöver ingen röst. På sidorna om allén reser sig välordnade rader av grann buxbom, och en bit bort kala oleanderbuskar och fruktträd. Sedan delar sig vägen i två, den ena svänger åt höger och tränger in i tätare vegetation. Rhododendron och buskar av kamelior, och alldeles bortom dem ligger dammen.

Du har tagit av dig skorna för att känna gräset som är svalt av dagg och de mjuka fläckarna av mossa som växer här och där. Du har låtit hälarna sjunka ner i marken och fått den underliga känslan av att översköljas av värme snarare än av kyla. Medan du rusar genom blomsterträdgården passerar minnena revy i ditt förvirrade och omtöcknade medvetande. Bilder från dina barnsliga drömmar och från ditt kärlekstumult. Ansiktena på människorna som du älskar dansar förbi, och även du dansar, medan du känner vinden blåsa genom ditt hår och sträcker ut armarna för att känna hur lätt kroppen är. Du har ansiktet vänt mot himlen för att lukta på den krispiga morgonluften, för att låta blicken följa vingslagen från några fåglar som slår sig ner på grenarna – några är kala, andra är täckta av blommor. Och medan du snurrar runt som en liten flicka tar du av dig jackan, sedan kjolen, och till sist har du bara på dig den säckiga tjocktröjan. Du dansar omkring naken, Angeli', under en himmel som har blivit blygrå och hotar med regn. Du är yr i huvudet för du snurrar alldeles för snabbt, faller omkull under ett gammalt fikonträd och kryper ihop intill den hårda barken, som om den där stora gamlingen skulle kunna värma dig. Du börjar jämra dig med svag röst, en sorts vaggvisa, medan du omfamnar dig själv och vaggar dig som ett litet barn.

"Jag känner en rund och vacker flicka som bor nära mig."

Du tycker dig höra den där sången, så klart och tydligt att hela skogen tycks genomsyrad av den, som sådana där orgelmelodier vars eko når hela vägen upp till himlen. Vaggvisan kommer nu från grenarna, från de täta löven, från de blomstrande kameliorna, från det härskna vattnet i dammen som stinker av ruttet sjögräs och av trä.

Var det då, Angeli', som du gjorde det?

"Ja, Tere', det var just i det ögonblicket", tycker jag mig uppfatta medan du berättar för mig om din död.

Det var betjänten, Arturo, som hittade dig morgonen därpå. Ditt hår låg och böljade vid vattenytan och det såg ut som en mängd små dansande nymfer. När han rörde vid dig tycktes huden vara på väg att brista, så vit att den påminde om snötäcket som sällsynta gånger täcker fälten i Copertino.

Jag såg dig. Jag lät min blick falla på din livlösa kropp, på de vita armarna, på huden som såg uppsvälld och skämd ut. Jag betraktade din kropp och granskade spåren efter alla de handlingar som du aldrig mer skulle utföra, skråmorna på anklarna, de välvårdade naglarna, de långa och smala tårna. Jag har alltid tyckt att dina fötter var fula. Alltför magra, de oproportionerligt långa tårna, stortårna som däremot var breda och platta. Kanske försökte jag bara leta efter defekter som var uppenbara nog för att utradera känslan av perfektion. Jag räknade sekunderna som jag ägnade åt att stirra på dina livlösa fötter. Tjugotvå. Lika många som åren du hade levt.

Jag väcks av solen, ett flöde av ljus som tränger in genom fönstret och värmer mitt ansikte. Jag vänder mig plötsligt om och söker mammas näpna kropp bredvid mig, men hon är inte där. Jag ser henne stå vid spisen och koka kaffe, sedan vänder jag mig om för att titta till pappa. Täcket höjer sig knappt och jag kan skymta det kala, tärda huvudet; det skulle rymmas i min ena hand. Jag går fram till fönstret för att ta in hela kvarteret med min blick, en näve hus som lyses upp av solen och vita stenplattor som sträcker sig över hela gränden.

"Om vi klarar det försöker vi sätta honom utomhus en stund idag, så att han får lite sol på sig."

Jag nickar, sedan går jag fram till pappas säng för att titta närmare på honom. Han ser föryngrad ut, huden verkar slätare. Pappa har gjort sig fin för att ge sig ut på en resa.

"Det har gått ett helt liv, Tere', och jag minns allt som om det var igår. När började tiden gå så fort?"

Tiden ... Alla gånger som jag har skjutit upp, låtit bli att säga de viktiga sakerna, övertygad om att tiden skulle ge mig fler tillfällen för att vända tillbaka, för att gottgöra. Jag har delat upp den, dragit ut på den, nästan som för att bevisa att den lyder under våra befallningar, att den inte går i en enda riktning, att den kan röra sig i en cirkel eller fortsätta rakt framåt, helt utifrån hur vi själva vill ha det. Vilket ljud ger den ifrån sig när den passerar? Innan den blir till framtid, innan den vissnar som en växt?

"Tiden har gått ut."

Det är pappa som talar. Han har plötsligt vaknat och spärrat upp ögonen. Han höjer med stor möda sina händer i luften, båda två, och tecknar åt mamma och mig att han vill fatta tag om oss.

"Tere', skynda dig, skynda dig."

Hon är rädd. Det är jag också. Den enda som verkar lugn är pappa.

"Angelina väntar på mig. Hon har varit ensam alltför länge."

Mamma ser på mig och gråter. Jag vet vad hon tänker, och nickar åt henne. Jag gråter också, även om vi båda försöker behärska tårarna, för den sista bild som vi lämnar åt pappa måste vara glädjefylld. Stunden som mamma har väntat på hela sitt liv är kommen.

"Nardi', jag måste bekänna en sak för dig, men du måste förlåta mig."

Han sträcker mödosamt fram handen mot mammas ansikte för att smeka hennes kind. Ljuset lyser upp hela rummet, faller över väggarna och bildar en solfjäder av skuggor. Pappa ser sig omkring, nästan som om det där ljuset var en inbjudan.

"Jag vet redan allt, Cateri."

Hon kramar hans hand och torkar sina tårar.

"Nardi' …"

"Men jag har älskat dig ändå. Kriget får oss att göra dåliga saker, Cateri', och jag valde att glömma bort det."

Sedan räknar han upp alla hemskheter som har fått honom att hata det: bomberna, gevären, döden, stanken, baronen, banditerna, fulheten, smutsen.

"Kriget är vidrigt, Cateri'. Jag upptäckte det för många år sedan."

Han söker även min kind och trycker den. Jag har väntat länge

292

på den, pappa, din rynkiga smekning, handen prydd av vigselringen i guld. Du rör vid oss båda två och jag ser hur du krymper ihop under täcket.

"Ge dig av nu, pappa", viskar jag med sprucken röst, "Angelina väntar på dig."

Han ler medan några tillbakahållna tårar blänker i hans ögon som droppar av ett duggregn. Sedan hörs en väsning, en inandning som börjar långt bortifrån, dovt, likt ljudet från en cupa cupatrumma, men som sedan tilltar och studsar mellan väggarna på en trång låda.

"Nardi'", gråter mamma, men jag kramar hennes hand och viskar till henne att pappa har gett sig av på sin resa.

Och då ser jag dem för min blick ...

Två små flickor håller i en trasdocka medan de springer mot sin pappa som kommer tillbaka från åkrarna. Han är stor och stark, med en hög panna och släta kinder. Den ena flickan har huvudet täckt av svarta lockar, den andra har tunt och ljust hår av samma färg som vitvinsdruvor. Pappa tar den yngsta flickan i famnen, borrar in näsan i de vackra lockarna, sedan öppnar han porten och vandrar bort i gränden som lyses upp av solen. En kvinna kikar ut genom fönstret för att skaka sängkläderna. Hon tittar ner på den solbelysta gränden och högarna av hundbajs framför ytterdörren, muttrar något och börjar sedan sjunga: *"Har du någonsin sett en utslagen ros? Så är ansiktet på denna varelse. Hon är vacker och behagfull och kommer att växa upp till en hederlig kvinna. Må Gud förbarma sig över henne."*

Jag tittar ut och ser pappan och flickan som snart har hunnit till änden av gränden. Han vänder sig om och vinkar medan den lilla flickan kramar trasdockan. Trevlig resa, pappa, ge Angelina en kram från mig när du träffar henne.

Och om det är sant att de dödas själar emellanåt lyfter från marken, flyg då in i mitt hus, när ni har lust, och berätta en historia för mig.